KV-038-146

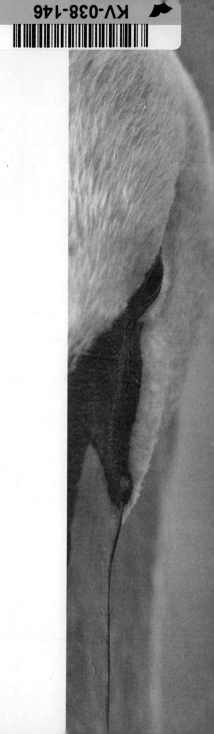

...archipelagi...

Zbigniew Kruszyński

Schwedenkräuter

wydawnictwo w.a.b.

WALTHAM FOREST
PUBLIC LIBRARIES

02899465 1

GRA | £14.99

| 2|4|15

Copyright © by Grupa Wydawnicza Foksal, MMXV
Wydanie II
Warszawa

Nazywam się...

I tak nie wymówicie. Zjadłem zresztą swój paszport, smakował urzędowo. Przemytnik w litewskim porcie (pełnym zardzewiałych wagonów kolejowych, pozostałość po czerwonej, rudej, zardzewiałej armii) zarządził jedzenie paszportów. Kolację, ucztę paszportów. Z jakiego musimy pochodzić skraju, jeśli nawet Rosjanie nie chcą już kupić jego dokumentów. Tam, dokąd mieliśmy płynąć, lepiej przyjechać znikąd – zapewniali przemytnicy. Żadnych papierów, przezroczysta pamięć, ani znaków szczególnych, ni języka w gębie. Najwyżej kilka różowych przecinek na zarośniętych opalonych plecach, ślady po bezimiennych badaniach zadanych przez niewiadomych badaczy (też chcieli tylko nazwisk i adresów). Zamiast podpisu w prawym dolnym rogu nieczytelna, naznaczona niedopałkiem skóra.

Uchodźstwo znikąd jest ostatnio tak praktykowane, że wkrótce będziecie musieli zatrudniać tłumaczy niemoty, język niewiele różniący się od łotewskiego.

Dwa dni czekaliśmy stłoczeni w jednym wagonie, mimo że dość ich było dla każdego z nas. – Nie narzekajcie – przywracał historyczne proporcje osobnik przynoszący jedzenie i wodę – jeszcze niedawno zmieściłoby się tu trzy razy tyle Żydów. I oni – zarechotał – pojechali w przeciwną stronę. – Śpij, Żydzi są mniejsi – jakaś matka uspokajała wciśniętego w kąt wagonu niedowiarka syna.

Trzeciego dnia, o zmroku że choć oko wykol, pojawił się statek (widząc, na co wstępuje, nikt by się nie kwapił). Był to stary, pamiętający latimerie kuter. Przez chwilę zapachniało rybami i solą, wakacje w śródziemnomorskim porcie, sierpień, suszące się na balkonie pasiaste stroje kąpielowe, Nabokov w Menton, kremy, plaża. Później śmierdział już tylko duszący, przepalony lub zjełczały, nie wiadomo – od ryb czy silnika, olej. Miejsca było jeszcze mniej niż w wagonie: czyżbyśmy przechodzili na judaizm? – Czego znowu, wagony nie pływają – burknął przemytnik. – Pomylili nas z rybami – odciął się dyżurny dowcipniś (jesteśmy dyżurnym ciętym, dowcipnym narodem).

Niewiele pamiętam, zimno, głowa. Starzy mdleli, dzieci wymiotowały. Tak, może odwrotnie, nie wiem, nie pamiętam. Dwa razy milknął silnik, kołysanie stawało się jak do snu, równiejsze, a w ciszy słychać było niekończące się toasty fal o burtę. Potem znów zaskakiwał i pracował z wysiłkiem, jakby morze wznosiło się pod górę. Nie rozumiem, dlaczego nazywacie go jeziorem, czy to ma związek z waszym i polskim szesnastowiecznym imperializmem, kiedy na krótko zamknął się, jak Ładoga, w granicach mocarstwa. Potrafi być oceanem, jeśli siedzieć na dnie ładowni i czuć, jak napinają się wręgi. Jeszcze dobrze przed Olandią zerwała się burza. Przez nieszczelny luk coraz to nalewała się lodowata woda i cuciła omdlałych. Dół i góra, pijana sinusoida, huśtawka o nierównych, niezmożonych ramionach. Potem wszystko ucichło, nagle i bez wyjaśnień, pijak, co zasnął w środku awantury. – Pewność i spokój, wpływamy na wody terytorialne. – Nikt już nie miał siły podnieść tego żartu.

Musieliśmy płynąć zygzakiem, bo u samych brzegów skończyło się paliwo. Jak ręką sięgnąć, latarnia morska stała nie dalej niż butelka na stole, starczyłoby parę uderzeń wioseł. Ale nie mieliśmy wioseł, na szczęście, bo zaraz wasi dowcipni dziennikarze porównaliby nas do galerników. Nasze kilkugodzinne dryfowanie też zresztą zaowocowało paroma sążnistymi, wymierzającymi sprawiedliwość artykułami, pełnymi oburzonych cytatów z Conrada.

Resztę opisały wasze nieskoordynowane gazety. Lokalne wydania donosiły o dwojgu, kobiecie w ciąży i zmarłym na serce starcu, podczas gdy centralny dziennik doliczył się trzech, dopisując pewnie do rachunku niewiadomej płci płód, tylko patrzeć, jak z nową siłą wybuchnie spór między zwolennikami aborcji i miłośnikami eutanazji. Niezależny socjalistyczny dziennik porównał kuter do trawlera chłodni, niezależny liberalny donosił, że było zimno jak na dnie lodołamacza. Wasze płaskie, liberalne porównania. Telewizja, puchowe kurtki, i nawet mikrofon ubrany w ciepłą wełnianą skarpetę.

Pochowano ich na cmentarzu morskim na wyspie, pastor podkreślał ulgę śmierci w wolnym kraju.

Wolność słowa w mowie pogrzebowej.

Nie wiem, czy policja, sądziłem, że urzędnik imigracyjny, był po cywilnemu. Istotnie, we wzorki, w serek i bez krawata. Długo, dwie, może trzy godziny, wciąż jeszcze kołysało i biurko unosiło się niczym mostek kapitański, wysoko. – Nabrali wody w usta – mówił, sądziłem, że dosłownie, bo wtedy nie podejrzewałem urzędu imigracyjnego o ironię.

Tłumacz poliglota dwoił się i troił, ćwiartował, przepoczwarzał. – De, por, ta, cja. Próbował wszystkich dostępnych mu akcentów, niepotrzebnie, bo rozumiemy także sąsiednie dialekty. Pisał od lewej do prawej, potem z powrotem, do lewej, wahadłem, a nie piórem. Z góry na dół, brakowało tylko japońskiego, ale to przecież nie ta wojna. Proszę mu łaskawie przekazać, że pień *jūd* został przyjęty najpierw na obszarze słoweńskim powiązanym wówczas z dialektami retoromańskimi, najpewniej w postaci *žud-*, z czego słowiańskie *žyd-*, czeskie *žid-* i dopiero na końcu polskie *žid* przechodzące stopniowo w *żyd*. Polacy wymówili to najpóźniej, ale szybko nadrobili straty. Zdaje się, że teraz tam to znowu *inexprimable*. Dlaczego antysemita, zachodniosłowiańskie nie były po prostu jego specjalnością.

Szukali wszędzie, ale po powrocie z toalety byłem już spokojny. Na dnie walizki i w archiwum buta. Rozplątywali grubsze sznury. Nie wierzę, aby pruto znalezione na pokładzie ryby, nie byliśmy przecież statkiem wielorybniczym.

W końcu ktoś musiał złamać te śluby milczenia. Jak długo można kręcić tybetańskie młynki, jeśli się nie jest tybetańskim mnichem? Tyle do powiedzenia, lata upokorzeń. W powietrzu gadało nie gorzej niż na wiosnę u barona Münchhausena. Tłumacz płakał ze szczęścia, mam nadzieję, że płacicie mu od słowa, już same przyimki zachwieją budżetem. Przyprawiliśmy stabilny policyjny magnetofon o zawrót głowicy.

Nie uwierzyli, nie mogli uwierzyć. Nie wierzyć jest waszą konieczną obroną. Na szczęście są jeszcze takie miejsca, gdzie nie docierają nawet telewizyjni reporterzy ze swoimi satelitarnymi parasolkami. Co innego potem, wiatr i puste czaszki, trawa wytryskująca śmiało z oczodołów jak sadzonki krokusów wiosną na skwerze pod hotelem, gdzie emeryci grzeją w słońcu swoje srebrne laski. Starość, tutaj także nie brakuje cmentarzy. Ilu? Mój Boże, życie ludzkie nie daje się, jak bydło, przeliczyć na sztuki. Każde istnienie jest nieobliczalne, w każdym szczególe zawiera się całość, śmierć dziecka i powolne konanie nieuleczalnie chorego, coście uczynili jednemu, wszystkimście uczynili, wojna i wypadki samochodowe, solidarne, więcej nie można porównywać, koniec porównywania.

Nie możecie uwierzyć, ponieważ unieważniłoby to cały wasz świat, wasze zdrowe jedzenie i nietrujące samochody, ubezpieczenia emerytalne i dodatki na dziecko, lata walki o równouprawnienie i jedenastoprocentowy podatek od reklamy, wszystko tak starannie ułożone, ustalone, wskaźniki na ostatni kwartał i nawet większy niż potrzeba margines błędu. Grube, czekające na ważne papiery segregatory. Encyklopedie, już wydrukowane, w tylu tomach spokojnie spoczywają na półkach, zgoda, można nanieść pewne korekty, do następnego wydania, ale to trzeba jeszcze sprawdzić, historia jest długim trwaniem, a pośpiech złym doradcą, raczej już noc, tak, spać, późny wieczór, noc, uspokojenie.

Nie wiadomo, tyle jest zjawisk niezbadanych pomimo ogromnego postępu nauki, liczba pi, ozon, wytrwałe wędrówki węgorzy i bociany wracające rok po roku na tę samą oponę na słupie za stodołą.

Jeszcze dzisiaj, tyle lat po wojnie, rodzą się wciąż nowe wątpliwości, mimo zaawansowanego stanu badań, por. Laurisson, *opus citatum*, strona osiemdziesiąt pięć i *passim*.

Umieścili nas chwilowo w szkole, w drewnianych pawilonach pod samym lasem (dzieci się tutaj uczą w leśniczówkach, żeby nauka nie miała daleko – ktoś znowu zażartował). Żadna aluzja, była przerwa międzysemestralna, tu i ówdzie leżały otwarte jeszcze zeszyty i niepoprawione błędy rachunkowe, semestr skończył się tak nagle, styczeń, luty, śnieg i na narty do Norwegii. Wpadła mi w rękę książka do geografii, zajrzałem, na rozkładanej mapce zajmowaliśmy to akurat miejsce, gdzie umieszczono legendę, wysokości, niziny, linie kolejowe, granice zaznaczone gwiazdkami dziwnie przypominającymi drut kolczasty. Ramka jak szlaban przecinała jedyną drogę prowadzącą ku północy. To i tak zresztą bez znaczenia, mapy fizyczne nie robią różnicy, wszędzie ten sam zielony oznacza równiny (w dzieciństwie myślałem, że to pola pokrzyw), Dniestr i Garonna wiją się podobnie, Tatry i Taurus solidarnie piętrzą swoją wysokość nad poziom równie niebieskiego morza (mimo że w Tatrach krwawe bywają tylko zachody słońca). I nawet nicość, pustynia istnieje tak samo intensywnie jak wielkie miasta. – My też tu mamy swoje problemy. – Czasami trudno oprzeć się wrażeniu, że urzędy imigracyjne przyjmują kartografów.

Dostaliśmy koce, mnóstwo koców, można by nimi zasłać boisko piłkarskie. Pielęgniarka, dobra i piękna jak bogini, rozdawała lekarstwa. Wybrałem sobie coś dla ducha: mała biała pastylka z rowkiem przez środek. Kiedy podawała mi kubek do popicia (abstynencki zwyczaj jednorazowych kubków: nowe naczynie dla każdego łyku), czułem, że krew wzbiera we mnie, jakbym zażył raczej anabolików. Wasze kobiety są promienne, jasne. Oślepiające. Wysportowane, nawet wieczorem wychodzą, wybiegają w dresie. Kiedy podawała lekarstwa, otwierała usta nieznacznie, na grubość pastylki, i szminka rozklejała się powoli, z ociąganiem, od środka ku kącikom ust. – Proszę popić. – Byliśmy gotowi połknąć całą aptekę. Piegi, rozsypane na policzku w bezładny archipelag, ciemniały nagle, odcinając się wyraźniej na piasku skóry: odpływ. Co za słowo: piegi. My nie mamy piegów.

Potem się uodporniłem, spotykałem ich dziesiątki, setki. Wszystkie bliźniaczki, z jednej matki, czy to macie na myśli, mówiąc *Moder Svea*? Słyszałem, że wasze linie papilarne też zataczają podobne łuki, sanki zostawiające na śniegu idealnie równoległy ślad płóz. I tylko piegi, zawsze w innej konfiguracji przypływów i odpływów.

Pielęgniarki, siostry. Szpitale. Kilkadziesiąt lat żyłem, nie zaznawszy szpitala (chociaż widziałem rannych i zabitych). Teraz pokazują mi go na co dzień, w każdych wieczornych wiadomościach kamera jeździ tam i z powrotem po długich zażółconych korytarzach, ułożona zapewne na przewoźnym łóżku. Ortopedia i serce, chirurdzy piszą serwis informacyjny. Wasze wiadomości z kraju pełne są obłożnie chorych i ozdrowieńców, głębokich terapii, cierpliwych rehabilitacyj. W doniesieniach ze świata przeważają nagłe obrażenia. Pomiędzy serwisami siada doktor spiker i przepisuje leki, wystawia diagnozę. Kuracja na ogół przebiega pomyślnie, mimo że pomieszała różnych pacjentów. Potem jeszcze pogoda i wyniki meczów. Współpraca służby zdrowia i informacyjnej układa się doskonale, z obustronną korzyścią. W każdej przychodni zamocowano telewizor, nic tak nie uspokaja jak zamieszki, które wybuchły gdzie indziej. Czasami tylko powstaje mylne wrażenie, że pacjenci oglądają siebie na wewnętrznym monitorze.

Białe, piegowate jak dzieci, kobiety. Okrutne prawo, które karze za zbliżenia z nieletnimi, tak jakby większość była dorosła. Zapisują się na gimnastykę. Do stowarzyszeń. Narysowały plakat: bez nas nic. Czyżby ktoś miał wątpliwości? I po co tyle mówią, *massa tabulettae*.

Nie będą prały, będziecie chodzić w nieświeżej bieliźnie, czy zauważyliście, że proszki do prania sprzedawane są w coraz mniejszych opakowaniach. Chodzą boso, w bibliotece żują głośne, donośne gumy, których strzały przypominają huk strąconej na podłogę książki, kiedy zasypiasz nad nudnym woluminem. Są czyste, wyniosłe i obce jak lesbijki, możesz tańczyć z nimi tak, że rozpiera ci kieszeń, czy myśmy się poznali, zapytają nazajutrz przypadkiem napotkane w aseptycznym sklepie. Gościnna seksualność, jeszcze jedna krótkonoga mitologia.

W szkole zakładają leninowskie czapki ze śmiercionośnym emblematem. Głowy upadły, a zostały czapki. Tak, potem je zdejmują, ale już nigdy nie nałożą kapelusza. Kiedy piszą, odwracają P, aby przypominało cyrylicę. Nie wiedzą, że w cerkiewnym czyta się jak R. Chodzą boso albo w ciężkich wojskowych butach, czy może w ich cholewkach ukryte są szpilki? Producenci pończoch wymyślili nowy, błyszczący w dzień i noc elastyczny materiał, który równie dobrze nadaje się na treningi i do scen miłosnych. W sklepie sportowym można kupić wyszywane złotą nitką trampki.

W miejscu, gdzie zamieszkałem potem, w podlejszej dzielnicy M. (na coś jednak możemy się przydać, jak inaczej odróżnilibyście – dobre od złych – dzielnice) – poznałem ich cztery: A., B. i Fię (za krótkie imię, by się dało skrócić; o S. wolałbym zapomnieć, jeśli nie grozi to znowu deportacją). A. chodziła na body building, choć nie brakowało jej ciała. Nie ciała. – To dla kręgosłupa – mówiła coraz grubszym głosem. Istotnie, potężniał, rozpychając się po chamsku w jej małej i kiedyś delikatnej osobie.

B., krzesło samo odchyla się do tyłu, była jeszcze jedną pielęgniarką, jakbym przyjechał po raz drugi. Nocną pielęgniarką (czarne fartuchy, na czepku gwiazdka). Dnie miała puste i rozległe niczym w dziewiętnastowiecznej powieści. Słusznie, dwudziestowiecznej, to wasi awangardowi pisarze odkryli, że tyle się nie wydarza między porankiem a zmrokiem, całe grube tomy. B. zaczynała od drugiego, bo do południa spała. Potem szła na pocztę odebrać zamówione w poprzednim tygodniu przesyłki. Zamawiała wszystko, co popadło. Codziennie nadsyłają przecież obrazkowe katalogi pełne wynalazków i ułatwień, bez których trudno sobie wyobrazić życie. Długie odklejane paznokcie. Pończochy, po których może się wdrapywać kot. Pomysłowy nożyk do pomarańczy, zagłębiający się

13

dokładnie na grubość skórki. Komplet mocnych, pachnących jagodami prezerwatyw. Skoncentrowane, skołowane płyty mieszczące na jednym krążku wiele różnych epok. Pochłaniacze potu i nadajniki ostrzegawczych sygnałów. Listonosz wrzucał to z hukiem przez szparę w drzwiach wejściowych, zamieniając na chwilę mieszkanie w jedną wielką skrzynkę pocztową, tortura dla kogoś, kto tygodniami czeka na urzędowe pismo. Przesyłki lądowały ciężko w okolicach wycieraczki (szary gołąb wiadomego listu oddzieli się od nich, co za towarzystwo, wzięci w środku przedpokoju, i osiądzie miękko dopiero pod drzwiami do łazienki).

Każdy stara się znaleźć jakiś sposób. Jedni jedzą ponad miarę, tyją, zasłaniają innych, którzy się głodzą. Jeszcze inni zostają zielonoświątkowcami, adwentystami dnia siódmego, armią, kapralami zbawienia. Grają na trąbce, śpiewają, chodzą po domach i głoszą dobrą nowinę, a lekkomyślni mieszkańcy trzaskają drzwiami, twierdząc, że już oglądali wiadomości. B. opróżniała domy wysyłkowe, a jeśli zostawało jej trochę pieniędzy, przekazywała organizacjom charytatywnym i innym apostołom dobrej sprawy. Chwała Bogu, że nie pracowała w banku. Same wypłaty.

Któregoś dnia pomogłem jej nieść pakunek, chyba jakiś szczególnie rewolucyjny wynalazek, bo przyginał mnie do ziemi jak ciężar istnienia. Do kawy zrobiła twarde, zbite, przesłodzone bułki, nad którymi rozbiła się bania z cynamonem. Grillet-Navarin mówi, że w ciastkach zawiera się dusza narodu.

Tropizmy, w rzeczy samej, awangardowe powieści. Kiedy nalewała, była tylko tym, nalewaniem, podawała kawę jak rtęć. Siadała z taką dokładnością, jakby za każdym razem miał ją unieść stary rozchybotany wyciąg krzesełkowy. Krajała chleb: od tego zależały losy świata. Jej życie składało się z ograniczonej liczby dokładnych, oddzielonych od siebie czynności. Tam i z powrotem. Tam. I. Z powrotem. Moje wyprane chusteczki czuły się przy niej brudną szmatą.

Opowiadała podobnie, każdy wyraz od nowego akapitu. Porzucił ją wkrótce po ślubie, alkoholik, któremu wydawało się, że jest pisarzem, bo ułożył kiedyś rozwlekły list protestujący przeciw budowie parkingu zahaczającego o park, gdzie mieszkały dwa łabędzie. Nie wiadomo, co gorsze, rozalkoholizowani pisarze czy rozpisani alkoholicy. Ten kwaskowaty płyn, dzięki któremu przechodzicie cudowną przemianę, mężniejecie, piękniejecie, niemoty wychodzą na trybunę i oddają się długim krasomówczym popisom. Parking i tak wybudowano, łabędzie przeniesiono w wielkich siatkach do rozlewisk koło portu (bezpośrednia transmisja do trzech sąsiednich krajów, urzędnicy imigracyjni dostali urlop szkoleniowy). Wtedy rozpił się do reszty, zaczął wykradać spirytus ze szpitala. Nie wiem, czy metylowy, dość, że oślepł zupełnie, nie widział, co się z nią dzieje. Ona chciała tylko, aby pisał, to tak rozwija, kupowała mu coraz grubsze skoroszyty, którym żółkły rogi i drętwiały grzbiety.

Może był zresztą tym pisarzem, nie wiem, zauważyłem, że wasze książki są jak odezwy, ambicją autora, aby podpisywały się pod nimi tłumy, czy dzielą się także tantiemami? Proletariacka literatura, nadająca się tylko do teatru, tam gdzie jest jej naturalne miejsce. Aktorzy, dekoracje,

trumna sceny. Czarne ubrania, histeryczne, zawczasu ob-
myślane, wrzaski. Repliki, a nie język. Czytajcie Sirinova:
nigdy nie podpisałbym się pod tekstem, który nie wyszedł
spod mojego pióra – odpowiedział, kiedy proszono go
o podpis pod apelem o ułaskawienie skazanych drukarzy.
A przecież to on napisał *Unicestwienie tyranów*.

Zacząłem namawiać ją na spacery, czułem, że musi być
z tego jakieś wyjście. Najlepiej na dwór. Najpierw chodziliśmy do parku – nie wszystkie jeszcze zamieniono na ga-
raże – dalej i dalej, tak że coraz trudniej było wrócić przed
kolacją. Potem jeździliśmy na plażę, za miasto, jej japoń-
skim samochodem, tak ciasnym, iż podejrzewałem, że
i jego kupiła w domu wysyłkowym. Morze jesienią, kiedy
opalili się już ostatni turyści. Słońce, które nadal świeci,
chociaż odłączono grzanie. (Te wasze podrzędne zdania,
i ja popadłem w przykry nałóg okoliczników przyzwole-
nia). B. stawała na wydmach i liczyła piach. Wiatr czesał jej
włosy jak... O nie, proszę, żadnego porównania.

Macie piękne, wielostronicowe opisy przyrody. Rozległe plaże usypane z drobnego piasku, który ekspor-
towano nawet do Arabii. Jeziora o równej gładkiej toni,
marszczącej się pod wieczór: zmartwienie albo starość.
Zabawne wyspy obłożone skałami tak obłymi, że wyglądają jak nadmuchiwane. Zachody, ustające w czerwcu,
kiedy słońce, dobrze napompowana piłka, odbija się tylko
od horyzontu i można by czytać gazetę o północy, gdyby
jeszcze napisano w niej coś godnego uwagi. Lasy miesza-
ne, liście i szpilki, jakby ktoś przez pomyłkę potasował
talię kart i bierki. Pola rzepaku, takie żółte, że nie daje im
rady nawet księżyc.

Tak, muszę porównywać. Tylko dla tych, co żyją, gdzie się urodzili, wszystko jest pewne i tożsame z sobą: woda woda, kamień w kamień, piach piach. Dla przemieszczonych wszystko pozostaje zagadką, nieodgadnioną. Każdy pies jest sfinksem, a zająknięcie przepowiednią. Nawet gdybyśmy opanowali wasz niemożliwy język (niech ktoś spróbuje wymówić *lugn*, nie można być spokojnym, jeśli się nie potrafi wypowiedzieć rzeczownika spokój) – to i tak zdradzi nas małe słówko: *jak*, stacja przesiadkowa.

Na której obok nas, przyjezdnych, kłębi się tłum miejscowych, udających podróżnych, poetów. Paru z nich poszło całkiem dobrze, Bergqvist, predestynowany, bo pisze o dzieciństwie spędzonym przy torach, w domku dróżnika, w cieniu wilgotnych, doskonałych jak owady lokomotyw. Prędkie szczęście, kiedy jedzie z ojcem na małej platformie, szkoda, że drezyna nie da się przetłumaczyć na nasz język. Petersson, gdy opisuje włóczykija najmującego się do pracy w wytwórni lodów w S., na północy (dopiero w maju podłączali na dobre agregaty chłodnicze). Pamiętny obraz hali produkcyjnej, kolorowe opakowania, jeszcze niepocięte, w ogromnych arkuszach, pękate słoje z oleistymi esencjami, Klementyna zagarniająca szerokimi ruchami całe naręcza gładkich wystruganych patyków. Andreas, Aleksander, pan Lukarno. Lody Roma, ciepło między ludźmi, na pewno już ktoś z tego zrobił slogan reklamowy. Lagerman i jego *Port zachodni*, dziwny port, nieleżący nad morzem.

Ale inni: opisują swoje zmagania z maszynką do golenia, jakby to były opowiadania kołymskie.

Buki, ich cierpiące na artretyzm korzenie. Karłowate dęby na H-ö (teren wojskowy, trzymać się z daleka), zgrabne, w niczym nieprzypominające karłów o wielkiej głowie i dłoniach jak łopata. Zawikłane, zaciśnięte w supeł wiązy. Smukłe, z rękami wzdłuż bioder jałowce, wystrzeliwujące nagle w górę w środku pustej, niczego nieobiecującej równiny.

Wyjechała, kiedy przeczytała w gazecie, że na północy przypada na pielęgniarkę sześć dziesiątych pacjenta więcej niż tutaj, na – stosunkowo – południu. Od tamtej pory ocieplił się klimat. Oni, naiwni, myślą, że to ozon.

Fia, to ty? Pukasz tak cicho, że ledwie słychać, myślałem, że to znowu ten krwiożerca z dołu bije swoje wieczorne befsztyki. Wejdź, proszę. Nie, nie, nie zdejmuj butów, nie jesteśmy przecież w meczecie, i wcale nie jestem pewien, czyby mnie tam jeszcze wpuścili. Masz mokre włosy, czy ciągle pada, odkręcony, zapomniany przez Boga prysznic. Zostaw, głupstwo, wyschnie, dam ci ręcznik, siadaj. Nastawię herbatę, taka wilgoć, że gotuje się także wokół czajnika (chyba miałaś rację, nie wyschnie). Nie, zostań jeszcze w butach, wstyd się przyznać, ale i na mnie działają niektóre wasze fetysze. Od twojej strony, jak otworzysz szufladę, obok futerału na okulary. Ręka, o, tak lepiej. Czasem budzę się i spada z łóżka, zdrętwiała, obcy i ciężki przedmiot, który przytwierdzono mi do ramion. Na pół do siódmej, wystarczy, po co budzić wcześniej naszą bezsenność nad ranem. Masz coś w kąciku oka. Nie, to tylko puścił twój nieprzemakalny makijaż, niżej, bardziej w lewo, już. Gorąca, tak, mocna, prawdziwa herbata, nie ta perfumowana mieszanka, którą

Multiplication Fluency Test

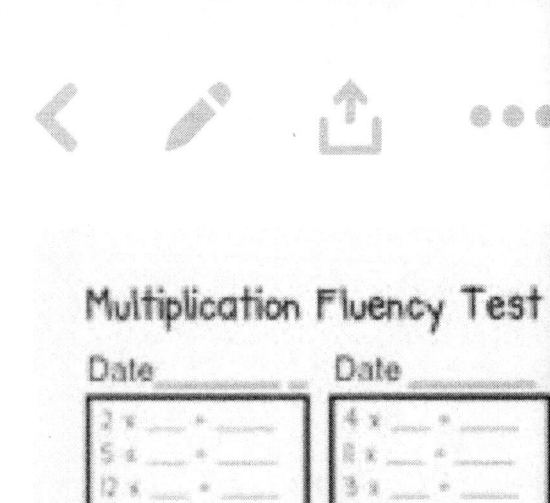

Date _____ Date _____

2 x ___ = ___	4 x ___ = ___
5 x ___ = ___	8 x ___ = ___
12 x ___ = ___	3 x ___ = ___
3 x ___ = ___	9 x ___ = ___
9 x ___ = ___	12 x ___ = ___
8 x ___ = ___	5 x ___ = ___
4 x ___ = ___	2 x ___ = ___
8 x ___ = ___	7 x ___ = ___
0 x ___ = ___	10 x ___ = ___
6 x ___ = ___	1 x ___ = ___
10 x ___ = ___	6 x ___ = ___
7 x ___ = ___	8 x ___ = ___
1 x ___ = ___	9 x ___ = ___
___ x 8 = ___	___ x 4 = ___
___ x 2 = ___	___ x 9 = ___
___ x 6 = ___	___ x 8 = ___
___ x 9 = ___	___ x 6 = ___
___ x 4 = ___	___ x 2 = ___
___ x 1 = ___	___ x 0 = ___
___ x 0 = ___	___ x 1 = ___

sprzedają w waszych domach towarowych, zaraz za stoiskiem pończoszniczym.

Odbiegłem daleko, przepraszam, zdaje się, że tylko kobiety pozwalają zapomnieć. Po tygodniu mieli nas przenosić, dzieci nie mogły przecież bez końca jeździć na nartach. Ktoś rozpuścił plotkę, że będą odsyłać. Ktoś inny widział już w porcie statek. Tumult, płacz, kogoś wyniesiono wraz z futryną, szkoła doczeka się wreszcie nowych drzwi wejściowych. Nie wiadomo, kto wybił szybę w autobusie, na szczęście boczną, rozsypała się gorliwie, bez oporu, jakby tylko na to czekała, na małe, już nieprzezroczyste kawałki, kupkę szronu.

To było osiedle drewnianych letnich domków, istotnie blisko portu, z widokiem na, ku przestrodze, morze. Täljstensvågen, czy nie mogli na początek znaleźć łatwiejszej ulicy, na dodatek wcale nie istniała, bo domki były rozrzucone na trawiastym zboczu, bez jej najmniejszego śladu. Nieco dalej, w niskich podłużnych, tylko cegła nie pozwala powiedzieć barakach, mieszkali rumuńscy Cyganie i latynoscy maoiści, ciemni, smagli, o podobnym kolorze skóry, ale odmiennych barwach politycznych. Zdaje się, że szef obozowiska chciał ich pogodzić, skierować, wasza specjalność, na trzecią drogę, nieistniejącą Täljstensvågen. Tymczasem jednak kontrowersja trwała, nasilała się zwłaszcza w okolicach świąt tej nowej religii, kiedy jedni krążyli po osiedlu z czerwonymi sztandarami i brodatymi portretami na długich tyczkach, a drudzy w tym czasie demonstrowali smażenie kiełbasek, zapach mięsa mieszał się z ostrą wonią używanego na podpałkę spirytusu i spowijał bezbronne, bezwonne sztandary.

19

Niekiedy dochodziło do starć, jak wówczas, gdy ktoś wywiesił ogłoszenie o zaginionych w pralni spodniach, sformułowane tylko w drugim języku, sugerując, że sprawca na pewno nie posługuje się tym pierwszym. Spodnie się szczęśliwie odnalazły, ale od tej pory wszystkie komunikaty wyglądały jak dwujęzyczny słownik, pisane, niezależnie kogo dotyczyły, w dwu równych niedotykających się kolumnach.

Tak, to prawda, i my przez długi czas byliśmy pod wpływem tej utopii. Nigdy do końca w nią nie wierzyłem, sprowadzić wszystko do materii, do pokarmów. To dobre dla psów – myślałem i podejrzewałem, że prorok był przebranym weterynarzem. Nie dziwiłem się więc wcale, że ustawili go w rzeźni.

Zaczęły się zakupy, pertraktacje co do ilości dozwolonych skarpet. Peregrynacje do dwóch domów towarowych położonych w centrum, nieco wyżej.

Tanie koszule z domieszką bawełny. Wszystko w paski, w kratę. Za dużo kolorów, wystających spod siebie, jakby drukarzowi przesunęły się klisze. Małe rozmiary, nie na naszą miarę, ciasne, skąpe, niepozwalające się przerzucić przez ramię, owinąć wokół pasa. Wybieraliśmy nieco luźniejsze modele dla kobiet w ciąży, budząc grozę sprzedawców: oni będą się rozmnażać. Czy to prawda, że sikhom nie pozwolono prowadzić taksówki w turbanie? A wasze komiczne zimowe buty, połączenie kaloszy i papci, czy też każą wam je ściągać na granicy, niby opony z kolcami na wiosnę? Długie skarpetki pod kolana wkładane latem do szortów, czy wszyscy zapisali się tu do harcerstwa? Od stóp do głów, europejskie wyrażenie, przed którym chciałoby się ustawić lustro.

Pierwsze kradzieże. Tania biżuteria, gdzie indziej sprzedawana na wagę, zawieszana na drucianych siatkach, przy samych drzwiach, tak że tylko brać i wychodzić. Drogie elektroniczne radyjka, gadające wszystkimi językami, bez trudu mieszczące się w kieszeni nawet waszych, obcisłych spodni.

Drogie, tanie, jak to obliczyć. Na początku wszystkich pasjonowały te niemożliwe rachunki. – Dwutygodniowe kieszonkowe jak półroczna pensja. – Żonglowali zerami. – Ile tu się zarabia? – Starali dowiedzieć się czegoś przez tłumacza. Liczyli, mnożyli. Dzielili, przeliczali. Wyglądało, że po paru tygodniach powinni przejść na emeryturę, tyle zdążyli nagromadzić. Bankierzy kieszonkowego, kapitaliści skarbonki. Potem kupowali mąkę kukurydzianą, która także ceną przypominała sproszkowane złoto.

Oskarżono nas o mordowanie łabędzi. Ktoś rozpuścił plotkę, że to niejadalne zwierzę stanowi nasz przysmak, a ponieważ nie używamy, najtańszej, wieprzowiny, więc nie stać nas na mięso wołowe (to ostatnie jest prawdą). Zwołano nadzwyczajne posiedzenie rady gminy. Zaczęły się poszukiwania pierza, zaglądano nam do poduszek i pod kołdry, każde fruwające piórko mogło przeważyć szalę.

Zdaje się, że te kiczowate złośliwe ptaki są waszym ideałem piękna. Łabędzia szyja, wdzięk, jezioro łabędzie. My mówimy tylko: łabędzi śpiew i mam go tu nieustannie w uszach. Wtykacie je w każdą najmniejszą sadzawkę, niedługo zagnieżdżą się w rynnach. A czy świnie nie są piękne? Wieprzowina w kawałku, czterdzieści dziewięć dziewięćdziesiąt, cichy szelest zgruchotanych kości i niezrównanie gładkie jabłko stawu.

Rok po wojnie w niewielkim mieście na nizinie średniopolskiej, niecałe dwie godziny od Auschwitz, tłum obywateli zamordował czterdziestu Żydów (którzy nie doczekali byli swego ostatecznego rozwiązania), ponieważ policja rozpuściła plotkę o porywaniu chrześcijańskich dzieci i używaniu ich krwi do rytualnego wypieku macy. Parę dni wcześniej znaleziono w mieście ciało zaginionego chłopca. Pojechałem tam, wiedziony niezdrową ciekawością, w lipcu, gdy tylko przydzielono mi dokument podróży, nansenowski, ale uprawniający także do letnich wycieczek, paszport.

Typowe wschodnie miasto. Kurz, zamieniający się, kiedy pora, w błoto, tu i ówdzie przerośnięta mleczami trawa, sklepy, teraz pełne tych samych co wszędzie opakowań. Ciężkie przemysłowe drzwi o śmiesznych małych klamkach. Kino. Teatr. Dwie lokalne gazety. Nic, ani śladu. Piekarnia sprzedająca nareszcie dobry, niesłodzony chleb. Kioski, przed którymi trzeba klękać, aby zobaczyć spoza papierosów ładną wzruszającą ramionami sprzedawczynię. W dzierżawionym przez szpaki parku cokół po wstydliwym, wyrzuconym na śmietnik pomniku. Nic, nuda, spokojne, nakręcone życie, przybierające na sile po południu, kiedy chłopcy wracający ze szkoły rzucają w siebie bojowymi okrzykami i rozchodzi się donośny turkot desek na rolkach podskakujących na nierównych płytach chodnika.

Lipiec, prawie okrągła rocznica tamtych wydarzeń, żar, upał. Cisza, jaka zapada czasem nawet w mieście, potęgowana niekiedy syczeniem sennego autobusu. Nawet szpaki w parku ucichły. Słaby, niedający chłodu wiatr przynosił stamtąd fetor ich nawozu. Pić. Nie miałem zaufania do sprzedawców wody, wystawiających na skrzyżowaniach swoje srebrne wózki z baldachimem. Wstąpiłem do nabitej o tej porze piwiarni: gwarnej, jakby to ona skupiła w sobie cały hałas miasta. Nie jestem specjalnie ciemny, oni też nie wszyscy są zresztą blondynami, nie mówiąc już, że od pewnego wieku przeważają łysi. Byłem ubrany po europejsku, jasne spodnie, przyklejona do pleców mokra koszula. Espadryle, ale widziałem je na chwilę przedtem w sklepie obok. Taki sam. Tak samo.

W pół drogi do kontuaru usłyszałem grobową ciszę. Na plecach poczułem siekiery ich spojrzeń. Nie sądziłem, że po upalnym dniu mam jeszcze w sobie takie zapasy potu. Zrobiliby to. Zrobiliby to choćby dzisiaj.

Tuż przed Bożym Narodzeniem rada gminy przyjęła rezolucję, że sobie nie życzy. Nie życzy. Podziela i popiera, ale – w trosce o – nie życzy. Wesołych Świąt i Szczęśliwego Roku, nie posyłajcie tam następnych nieszczęśników.

W oczekiwaniu na transport mieszkańcy rozdzielili między siebie dyżury. Obstalowano pomarańczowe kombinezony, na wzór tych, które noszą pracownicy oczyszczania miasta, z odblaskowymi opaskami na nogawkach i rękawach. Po troje, dwóch mężczyzn i kobieta, patrolowali okolicę, zataczając wielkie, spłaszczone od strony morza, koło: port, tereny obok plaży, park, centrum i osiedle. Na plecach mieli wydrukowany stary herb gminny: dwa zwrócone do siebie przodem łabędzie z zakręcającymi się jedna wokół drugiej, na kształt powrozu, szyjami. Uniesione niemal pionowo ku górze płaskie dzioby naznaczone były u nasady wyraźnym dwukropkiem: cytuję.

Przewieziono nas do pobliskiego, już większego miasta. Tym razem obyło się bez dramatów, niektórzy wsiadali z taką determinacją, jakby znowu udawali się na emigrację, mimo że chodziło raptem o kilkanaście kilometrów, parę łuków ciągnącej się wzdłuż wybrzeża autostrady. Teraz dla odmiany zamieszkaliśmy w wysokich domach, jakby tamte podłużne postawiono na sztorc. Odległych od centrum o kilka minut autobusem przezwanym przez mieszkańców transportem cebuli, ze względu na zapach, ale i forma chętnie by się zgodziła – była to jedna naprawdę uczęszczana w mieście linia i w godzinach szczytu autobus mógłby z ulgą wybrzuszyć się na kształt bulwy. Związek zawodowy kierowców wystąpił o specjalny dodatek za pracę w niebezpiecznych warunkach, naliczany według tabeli wynegocjowanej wcześniej przez funkcjonariuszy więziennictwa, który stosowano by na naszej krótkiej linii 4.

Nie rozumiem, skąd tyle pustych domów, czy budujecie na zapas, ujmując samotność i rozwody w planach mieszkaniowych. Małe, jednoosobowe baraki wciśnięte między bloki nazywano zaułkiem samobójców, zatoką wielorybów. Tutaj przypływa się umierać, czynsz płatny z góry.

Na środkowych stronach niedzielnych gazet drukowane są małą czcionką ogłoszenia kontakty, najpierw myślałem, że to reklama kleju. Wystarczyłoby złożyć gazetę na pół, aby skojarzyć z sobą parę dzielnic. Któryś z naszych żartownisiów posłał anons sygnowany: lekarz, trzydzieści lat, kawaler. Redakcja poprawiła ortografię i wydrukowała, widać nie sprawdzają personaliów. Dostał sto szesnaście odpowiedzi i jeszcze kilka od homoseksualistów. Pisały o wszystkim, choć zawsze o tym samym, dom, rodzina, długie zaciszne wieczory, kolacja, nad kieliszkiem, ale broń Boże nie nałóg, palące, niepalące, rzucające palenie, jeśli trzeba; dołączały do listów zdjęcia, uśmiech szminki, obwiedzione czarną kredką oczy patrzące śmiało we wspólną przyszłość. Kilka tygodni poświęciły na próżne czekanie, niewielki rewanż za nasze długie lata. Czy można nazwać zdrowym społeczeństwo, gdzie sto szesnaście kobiet, którym nic nie dolega, zgłasza się do jednego lekarza?

Od tamtej pory zacząłem pilnie studiować te dwie kleiste strony ogłoszeń. Wydawałoby się, że drukowane są bezładnie, w kolejności napływania. Nieprawda, w dobrze zorganizowanym kraju nic nie jest oddane na łup przypadku i im także patronuje idea porządku. Najpierw są te długie, cała lista zainteresowań, golf i podróże, żagle, wille, ogrody, książki, tyle do podziału. Z wolna ustępują miejsca tym, którzy dzielą się już tylko swoją – palącą, niepalącą – samotnością i czasem jeszcze alergią na kota. Na końcu inwalidzi, homoseksualiści, cudzoziemcy i nieszczęśliwie żonaci. Równi kompani, dobre towarzystwo. Jak w tych kwestionariuszach wizowych, gdzie choroby zakaźne i członkostwo lewackich organizacji stłoczono w jednej rubryce. Nie, wasze kwestionariusze są inne, humanitarne, przyjazne. Ilustrowane postaciami z komiksów, z dymkami zamiast rubryk. Ostatnio do tradycyjnie proponowanych odpowiedzi – tak i nie – dołączono jeszcze: tak sobie, zawsze musi być przecież jakaś trzecia droga. Oszczercza stugębna plotka, że Kafka miał stypendium twórcze w waszej kasie ubezpieczeń. Gogol? Puste mieszkania. Brakowało kilku, ale gdy tylko rozeszła się wieść, że nas przywożą, zwolniło się następnych kilkanaście. To prawda, czynsze są tak drogie, jakby wasze dni były policzone i każda chwila na wagę złota: wkrótce będą pobierać opłatę za godziny, niczym w wiadomej sławy hotelikach; wasz los jest niepewny, przyszliście na schadzkę. Ale trzeba gdzieś mieszkać, pokazywać się od najlepszej strony, jak w tych małych parterowych domkach pozbawionych zasłon, gdzie łóżko wychodzi niemal na ulicę i gospodarz śpi z głową na gołym trotuarze.

Bloki. Zsypy na śmieci, idący od nich słodki zapach społeczeństwa konsumpcyjnego po obiedzie. Windy, cywilizacyjne odkrycie, po francusku ten sam rdzeń co w *Ascension*, wniebowstąpienie. W naszej co sobota ktoś urządzał sobie pisuar, też skądinąd francuskie słowo. Kobiety wyśledziły, że to pijak gbur z piątego piętra. Mężczyźni kupili paręnaście puszek słabego piwa i nad ranem, kiedy chrapał odrażająco, zrobili to samo, naszczali do środka, używając jego wyciętej w drzwiach skrzynki na listy. To nie my stanowimy początkowy człon wyrażenia: problematyczne dzielnice. To wy, aborygeni.

Zaraz w pierwszych dniach nasłali na nas pastora, wysokiego, szczupłego, oto jak powinien wyglądać kapłan – pomyślałem. Zgromadziliśmy się w pustych pomieszczeniach na ostatnim piętrze, jak przystoi kazaniu na górze. Mówił długo i pięknie, w duchu ekumenizmu, koloratka drżała mu nieśmiało na jabłku Adama. Tłumacz najwyraźniej miał kłopoty z archaicznymi formami, wejrzyjcie, pomnij, ukrzyżowan – rozkładał bezradnie ręce – i po-grzebion. Nie wszystkie one dobrze czują się w naszej tradycji językowej. Chłodne kościoły, puste nawet w niedzielę. Czyżby i protestanckiego Boga nie stać było na tak wysokie czynsze. Słyszałem, że z braku wiernych kościół najął się do liczenia pogan.

Kazanie zamiast pojednać stało się przyczyną nowych konfliktów. Młodzi zrozumieli z niego, że ciało nie jest już grzechem, i godzinami wystawali w kiosku, wertując magazyny ustawione na najwyższej półce w tekturowych, odsłaniających tylko piersi i tytuły, pudełkach. Kioskarze się wstydzili, obroty spadały. Klientki nie miały odwagi sięgać po swoje ulubione pisma o kuchni i ogrodach, leżące na niższych półkach, zachwiała się cała solidna piramida: u podstaw czarno-białe dzienniki, wojny, wydarzenia, nad nimi świat hobbystów, sport i samochody, jeszcze wyżej moda, spuszczająca na wszystko śmiało rozciętą w udzie zasłonę zapomnienia.

Zamieszanie ustało, kiedy kierownictwo obozu podjęło odważną decyzję o wynajmowaniu raz na tydzień odpowiednich filmów w pobliskiej wypożyczalni. Teraz tam przeniosło się centrum zainteresowań, do nowej świątyni, która obok napojów gazowanych i słonych paluszków kupczyła także namiętnościami. Ustawione w równych rzędach okładki kaset przypominały trochę dziecięcą bibliotekę, błyszczały od nadmiaru zdarzeń, pogoni ścigających ucieczki, ucieczek umykających przed pogonią, nagłych zwrotów, usków, powrotów po wojnie, wzruszających spotkań poniewczasie, kiedy ona ma już troje dorosłych dzieci, a on za sobą wiele lat więzienia.

Spomiędzy rozstawionych nóg kobiety, z wypukłym lustrem pończochy na łydce, wyłaniał się rozpędzony, oszalały samochód – przeznaczenie – który za chwilę spadnie w przepaść, ale odnajdzie się znów w następnym filmie, z odciętym dachem i ręką kierowcy niedbale położoną na kolanie Klary.

Wielki telewizor, gimnastykując się na piramidzie trzech krzeseł ustawionych na kuchennym stole w świetlicy, niechętnie przyjmował w siebie *coitus* kaset. Pomimo że większość filmów rozgrywała się w ciepłych stronach, cierpliwie ilustrował mżawkę, jakby czuł się związany lokalną prognozą pogody, na tle której dobierano kolory, tak że cera spikera najpierw ziemista i niezdrowa, zielona, żółta, rozjaśniała się po chwili czerwonym neonowym – za bardzo – światłem, żeby – stop – zatrzymać się w pół drogi między opalenizną a wstydem. Spiker wróci dopiero po ostatniej scenie, zbiorowej, w której aktorzy niczym muzycy w jazzowej orkiestrze oddawali się na przemian symfonicznym i solowym występom, niepomni, że grają na tym samym wzdętym instrumencie. Potem szybko migała jeszcze lista nazwisk, perukarzy, operatora, który się napatrzył, i spiker mógł znowu przybrać swą zwykłą twarz, ani śladu wstydu więcej, rozpromienioną na dobrą, sportową wiadomość, że skoczek skoczył hen daleko, w dal.

Proszę nie odbierać, to nie telefon, odłączyłem brzęczyk, bo i tak dzwoniły same pomyłki. To dzwoni budzik nastawiony parę stron wcześniej, żelazne prawa kompozycji. Fia?

Drobne upokorzenia. Kupony zamiast pieniędzy, sprzedawcy wyciągający na nasz widok zapomniane, już odpisane na straty towary, niemodne modele, za stare, by je jeszcze nosić, za młode, aby moda zdążyła wrócić, sytuujące nas gdzieś z boku, poza czasem, raczej na pasku niż na zegarku. Nieczynne dla nas banki. Poczta z masą niepotrzebnie strzępiących sobie boki znaczków. Sklepy z butami, jakby było dokąd pójść, walizki cierpliwie czekające na podróż.

Tyle do oglądania, potrzebowałem nowych okularów, czułem, że wzrok mi wciąż jeszcze słabnie, choć mógłby już dać sobie spokój, przygotowując się do emerytury, kiedy na ogół wraca. Dostałem skierowanie do optyka, dołożył pół dioptrii i niewielki astygmatyzm. Chciałem tylko szkieł, moje druciane, tanie okulary przypominały zresztą najnowsze, wystawione w specjalnej szkatułce modele. Za drogo. Taniej wymienić całość, także oprawki. Dziękuję, musiałbym być zupełnie ślepy, aby zgodzić się na te proponowane w ramach sprzedaży wiązanej. Najdrożej zachować, najtaniej wymienić, oto wasza postępowa filozofia. Niedowidzę. Na ulicy idą ku mnie długo dwupłciowe postacie i dopiero w odległości paru metrów rozdzielają się na mężczyzn i kobiety. Ich wyraziste ptasie twarze, orły, sowy, sikorki z wesołym makijażem, nieumalowane drozdy i cierpliwe dzięcioły ospy.

Zorganizowano kursy języka. Tortura dla kogoś, kto przez całe życie nie zdawał sobie sprawy, że używa predykatu. Nauka mówienia, niektórzy zaczynali od nowa seplenić.

Wasze niezdecydowane, o mylnej nazwie, samogłoski, wahające się między *a* i *o*, *u* i *o*, błędne, niemogące sobie znaleźć miejsca. Sztywna składnia, drżąca o podmiot do tego stopnia, że rezerwująca mu miejsce na wypadek, gdyby się zapodział.

Przyimki odsuwane na koniec, na później, niczym gorzkie pigułki, tran. Pełno dokuczliwych, wciskających się wszędzie zaimków. Terror rodzajników, albo, albo – nic pośredniego, żadnych półcieni, meandrów, luk pamięci, czy świadek znał, czy nie znał, proszę decydować, każde zdanie jak protokół przesłuchania. Znerwicowany, zrywający się co chwilę akcent, który nigdzie nie potrafi zagrzać miejsca. Monstrualne germańskie złożenia, gotowe połknąć wszystko. Dokładne, targujące się o każdy grosz liczebniki i puste, rozdęte formuły, którymi usiłuje się załatać miliardowe straty w banku. Łacińskie końcówki wymawiane z dziwnym syczeniem, jakby uchodziło powietrze. Nędza czasów, wymowny brak *futurum*, zamiast niego dwa wścibskie wyrażonka stosowane niezależnie od poczucia winy. Wszechogarniające *passivum*, dość dorzucić końcówkę, aby z mówiących podmiotów uczynić bezwolne stado idące tam, dokąd zaprowadzi je totalitarna gramatyka. *Collectiva* używane dla pojedynczych osób: jeden policja, jeden społeczeństwo.

Nie mówię nic nowego, poczytajcie Nordenströma. Jego rozpacz, kiedy próbuje przekładać kilka banalnych wersów z Baudelaire'a (lektura, jakiej nie znalazłem w spisie z kursów). – Słowa, które popychając się w tłumie, zstępują do rynsztoku – on, wasz najlepszy stylista, *dixit*; u B. było o rynnie, nie wiem, dlaczego zaczął prawić o rynsztoku. – Język nieznający półtonów, nadający się tylko do wygarnięcia całej prawdy, ulubione zajęcie plebejuszy. Dobry do umów zbiorowych.

Kiedy okazało się, że zostaję dłużej, zacząłem rozglądać się za jakimś zajęciem. Nie chciałem wracać na uniwersytet, nie byłem tam zresztą dobrze widziany, mimo że używali jakiegoś mojego kompendium. Znam to środowisko: lewitacja docentów czekających, aż umrze profesor. Poszturchiwania, szarpanina cytatów. Opracowania, odbitki odbitek. Postanowiłem zatrzymać się w jakiejś wieczorowej szkole, pomyślałem, że wykorzystam spadek po mojej półromańskiej babce. Wasz angielski jest imponujący, czysty. Wasz francuski jest w polu, w kapuście. *Comte*, inaczej niż u Słowian, nosówki są tu synchroniczne, żadnego em i o, nie chcecie chyba naśladować Polaków, którzy mówią, jakby byli u siebie. Niezależnie od ortografii, *comte*, *compte* czy *conte*, tylko proszę pamiętać, w wygłosie jest zawsze długie, stop, wolnego, i nie otwierajcie tak szeroko ust, jakbyście byli z wizytą u dentysty.

Napisałem do ministerium oświaty z prośbą o wydanie odpowiedniego papieru. Wiedziałem już, że mam was uczyć przynajmniej dwóch języków, bo wasza mowa jest zawsze podwójna. Zaproponowałem rosyjski, który poznałem, jak wszyscy, w czasach mojej rewolucyjnej młodości. Po kilku dniach przyszła odpowiedź, że decyzję wydadzą za rok, ale już dzisiaj można powiedzieć, że w myśl odnośnego zarządzenia kuratorium wymieniona przez obywatela kombinacja języków nie istnieje. Francuski i rosyjski! – nie żyjemy przecież w czasach carskich. Mówcie więc dalej *citroëng*, jakby była tam nosówka, która i tak zresztą nie przeszłaby wam przez nos, przez usta. *Peu à peu*, wyrażenie, wobec którego staje niepiśmienny cały naród.

Dostałem w końcu jakieś wieczorne kursy w prywatnym studium, zatrudniającym wyłącznie *native speakers* i płacącym im – jako cudzoziemskim robotnikom – o połowę mniej. Stoję wieczorami pod tablicą z rękami szorstkimi od kredy i zastępuję jedne obce słowa drugimi obcymi, *ignotum per ignotum*. Kiedy jestem bardzo zmęczony, zdarza mi się wtrącać tu i ówdzie nasze spójniki. Ale one już nie spajają, przetrącone zdania łamią się wpół, rozjeżdżają, niepewny łyżwiarz zostawiony sam na gładkim lodzie. Za oknem cichnie, pustoszeje miasto. Sklepy odpoczywają po całodziennych obrotach. Oddychają parkingi, nareszcie uwolnione od ciężaru samochodów. Chodzą jeszcze zegary, z rozpędu, ale i one odmierzają już tylko nikomu nierychliwe godziny.

Oskarżają nas o najgorsze. Banki rabowane są z cudzoziemskim akcentem. Kiedy ginie czteroletnia dziewczynka, zaraz okazuje się, że w pobliżu widziano dwóch Ormian. I nawet kiedy zostaje zastrzelony cygański właściciel pizzerii koło dworca, to nie strzelał do niego nikt inny, tylko brat bliźniak, wewnętrzne porachunki – napiszą potem gazety.

Zabiliśmy łabędzia. Zabiliśmy premiera. Pogrążamy kraj w rozpaczy. Nie jest pewne, czy młode dziewczyny noszą się na czarno z powodu mody, czy żałoby.

Najpierw przyjmujecie terrorystów skąd popadnie. Udzielacie im nowej tożsamości i wsparcia przysługującego każdej kulturalnej, krzewiącej folklor organizacji. Potem wysyłacie go na spacer bez eskorty. Cel stojący, kiedy zatrzymuje się przed księgarnią. Cel ruchomy, kiedy przyspiesza, aby zdążyć na zielone światło. Ale oni strzelają celnie nawet do rzutków. Morderstwo? Moim zdaniem mamy tu do czynienia z samobójstwem.

Po pół roku zaczęły przychodzić pierwsze odmowy. Wzywano ich do biura, żółte ściany, kolor *vacui*. Za stołem siedział gruby urzędnik w cywilu, wyglądający jak wynik umów zbiorowych, i płaskim głosem z ukrytego w ustach magnetofonu odczytywał sentencję wyroku.

Gdzie? W waszym przezroczystym, pozbawionym zasłon kraju? Prawda, kiedy umiera samotna staruszka, może leżeć sobie tygodniami i dopiero sąsiedzi, zaalarmowani przykrym zapachem na schodach... Ale spróbujcie się wprowadzić do samotnej staruszki.

Odwozili ich na lotnisko, nieprawda, nie skutych, to była tylko blaszana bransoletka, podobna do tych, jakimi obrączkuje się ptaki. Na lotnisku docelowym stał wasz ornitolog na placówce i wysyłał raport do centrali: żyje, nawet przybył na wadze, i tylko patrzeć, jak rozwinie skrzydła, wzleci.
    Żeby choć uprawiali sporty. Pchali kulę, zapamiętale jak Rosjanie. Biegli kilometrami na wąskich nartach. Pływali. Ale nie. Drobni, niepewnie zbudowani, nieskoczni, nie wiadomo, czy kiedykolwiek udało im się kopnąć piłkę.
    Innym, z dziećmi, w nadziei, że może z nich coś wyrośnie, pozwalano pozostać. Ze względów humanitarnych, bo politycznie nasza historia skończyła się po kongresie wiedeńskim. Jechali wtedy do wielkiego sklepu na przedmieściu, aby kupić wszystko. Niewyspane łóżka, jeszcze puste szklanki, srebrne czajniki z, nie powiem jak,

wygiętym dzióbkiem, rzucające zupełnie nowe światło lampy, złożone w kartonach stoły, które staną wreszcie na własnych nogach. Niewielka zwinna ciężarówka rozwiezie rzeczy pod wskazany adres. Nietrudno jest zacząć nowe życie, kilka zdecydowanych ruchów śrubokrętem.

Pośrednicy pracy wyszukują im jakieś zajęcia. Kursy przetrwania, speleologie depresji. Biegi na orientację, od której kręci się w głowie. Kobiety trafiają do kuchni, w wielkich jak dla ludożerców kotłach mieszają wasze potrawy bez smaku. Nie dosalają. Kiedy nikt nie patrzy, dosypują schowanego w kieszeni fartucha kardamonu. Z mężczyznami jest gorzej. – Mamy pełne ręce roboty, ale żadnych miejsc pracy – żalą się pośrednicy. Może blacharstwo, lakiernictwo, najtrudniej malować na czarno, widać każdą nierówność, każde załamanie. Na biało można choćby pędzlem, lico zawsze świeci. Wiercenie – bez aluzji – studni. Spawanie. Piekarz, przyrodni brat cukiernika, bo chleb słodki jak ciastka.

Jesień atakowała znienacka, już w połowie lata. Nad wrzosowiskami przelatywały ogromne rodziny ptaków, rzucając rozproszony cień, biegnący niby poderwane do ucieczki stado myszy.

Mleko w kartonowych pudełkach z wybitym na krawędzi niedbałym kalendarzem, przestępnym, bo słodkie jeszcze kilka dni po czasie.

Delikatne ręce kasjerki, podające mi jak hostię srebrny pieniądz.

Nieruchome, zimne jak chrzest jeziora. Pierwszy lód nad ranem, jeszcze dobre zielone liście, które dały mu się zaskoczyć.

Wszędobylskie rowery, szron na siodełkach. Na podwórkach koty, które wszystko zrozumiały.

Niskie słońce, utrapienie kierowców mrużących na próżno oczy. Rzucające cień tak długi, że nawet krawężnik zasłania pół ulicy.

Zimno, nawet dla przyzwyczajonych do wahań temperatur termometrów.

Wychodziłem pod wieczór, który z każdym dniem zbliżał się do południa, jak coraz mocniej zaciskane imadło. Skręcałem wielokrotnie, w przeczących sobie kierunkach, jakbym, zwierzę, chciał zmylić tropy. Z tyłu nikt mnie nie gonił. Z przodu nikt nie czekał.

Dlaczego okrągłe, kształt tu przecież nie ma żadnego znaczenia.

Tak, późno, mam nadzieję, że to ostatnie przesłuchanie.

Jeszcze inni zachowują się jak gdyby nigdy nic. Jedzą z umiarem, piją nie za dużo. Nie krztuszą się, nie dławią, przełykają gładko. Bez przesadnych emocji czytają gazety, rozwiązując, jeśli napotkają w nich, krzyżówkę, pionowo: ryty, poziomo: balustrada. Zliczają gry liczbowe: osiem, jedenaście, dwadzieścia dziewięć, dodatkowa sześć. Wychodzą, zamykają, wracają punktualnie, jeśli tylko nie będzie zatoru na szosie. Płacą, pobierają resztę, odkładają. Na czarną godzinę. Jakby teraz im biła co najmniej różowa.

Lato eksplodowało któregoś dnia wcale nie poprzedzone wiosną, przewidywane tylko w sklepach odzieżowych, odziewających swoje manekiny w przewiewne podkoszulki, szorty i sandały – za wcześnie, kiedy jeszcze śnieg pod lasem, zmieszany z gliną, nie miał czasu stopnieć. Wszyscy wylegali nagle na ulicę, demonstrując na cześć tyrana, nakładali ciemne okulary, odsłaniali ramiona, po kilku dniach czerwone, jakby iść wciąż na północ, plecami do słońca. Siadali pod wielkim parasolem w pasy, w kawiarniach, które wysypały się na chodnik, obserwowali, jak nad szklanką z wodą unosi się fontanna, musująca mżawka.

Spadały, i tak niewygórowane, ceny wycieczek na południe, nieomylna prognoza cieplejszej pogody. Wyjazdy, zawsze tańsze, niż gdyby pozostać, dyskretny sposób dowartościowania.

I ja zapragnąłem gwałtownie wyjechać, żeby zobaczyć, czy mam dokąd wracać. Zdecydowałem się nagle, na ulicy, wzorowy klient przed biurem podróży, z wydmami na wystawie i morzem przy kasie. Miałem już tę cudowną plastikową kartę, którą można płacić, zanim jeszcze dostało się pieniądze.

– Proszę – powiedziała opalona, jakby właśnie stamtąd wróciła, sprzedawczyni, i wraz z biletem wręczyła mi garść zawieszek na bagaż, czyżbym miał zabrać cały swój dobytek? Zostało mi kilka godzin na spakowanie rzeczy, walizka domknęła się bez przeszkód i samolot uniósł się lekko, kładąc się na lewym boku, aby odsłonić rozsiane na wybrzeżu ogniki domów, świetliki skrzyżowań. Przez grube, na wpół ślepe okno widać było ostatnią łunę wysokiego dnia. Na ziemi podchodziła już powoli ciemność, noc szła tym razem od dołu, od piwnicy.

W środku rozgorzała gorączka zakupów, przez chwilę myślałem, że lecimy cargo. Im wyżej kupować, tym są niższe ceny, równowaga rynkowa, źródło dobrobytu. Ekspedientki jechały wolno wzdłuż foteli z ladą na kółkach, których każdy obrót przyprawiał ją o drżenie, nerwowe, butelek. Siedziałem, podsłuchując mruczenie silników.

– Co dla pana? – Co dla mnie, nie, dziękuję, proszę kilo pewnego gruntu pod nogami. – Za chwilę – przywołała uśmiech pielęgniarki – za chwilę, podchodzimy już do lądowania. Proszę rozluźnić krawat, ale zapiąć pasy.

Ssąca ciekawość, chwilę przed przyjazdem, kiedy to wszystko jeszcze może wyglądać inaczej, niepewny, przed mutacją, głos meteorologa, który wie, że jest, ale nie wie, gdzie jest – odczytywana z kartki prognoza pogody.

Wyspa była tak mała, że pas startowy zaczynał się na wodzie, na specjalnie w tym celu zbudowanym molo.

Kupiłem, oczywiście, najtańszą wycieczkę. O nie do końca określonym celu. – Gdyby pan mógł dopłacić – martwiła się kasjerka – wiedzielibyśmy z góry, jaki hotel, pokój. – Nie chciała mnie samego wysyłać w nieznane. Nieokreślony hotel o huśtawce windy. Niezaklepane, niezagrzane miejsce. Recepcjonistka stojąca jak na szpilkach, niepewne jasne pasma wśród jej ciemnych włosów. Wahające się drzwi wahadłowe i niewidoczny widok przez zagadkę okna.

– Po co jechać, jeżeli wszystko ma być z góry ustalone. – Uspokajałem jej zawodową gorączkę podróży. Nie mogła wiedzieć, że wyjazd w nieznane to nasza narodowa specjalność zakładu.

Nie pomyślałem o jednym: współmieszkańcu w pokoju, i teraz obserwowałem, jak pedantycznie rozpakowuje walizkę, tak starannie, że rozłożone już przedmioty nadal robią wrażenie rzeczy spakowanych. Wyprowadzi się, byłem pewien, że się wyprowadzi. Nie byłoby kłopotów z wyjaśnieniem dlaczego. Zaczynałem rozumieć zmartwienie urzędniczki, miała na względzie nie mnie, lecz sąsiada, to jego bała się narazić na wielką niewiadomą. Odkąd zniesiono wizy, biura podróży są zasypywane skargami na podłożu międzynarodowym, nawołują się zwolennicy i wrogowie Unii, a kopie wysyłają do Trybunału w Hadze.

– Czy można palić? – O, tak, proszę, trzeba, w pokoju panował dziwny, zeszłoroczny chłód, niech go trochę ogrzeje ognik papierosa.

Zaciągnął się starannie i długo trzymał dym, jakby nurkował z papierosem w ustach.

Opowiadał łapczywie (długi samotny rejs), przy deserze dopiero dotarł do matury.

Typowa biografia młodzieńca w okularach, utopie, bóstwa wschodu, nurty, nuty ideologii. Kilkudniowa okupacja dziekanatu, namiestnika władzy cesarskiej, śpiwory rozkładane w wąskich korytarzach. Obowiązkowa podróż koleją transsyberyjską, tam, ku prawdzie. Obowiązkowe rozczarowanie, wystające zza pleców grubego przewodnika. Nicość, powrót.

Dokąd jeździć będą teraz, kiedy wyszło szydło z worka? Zaopatrzeni w rozmówki i światłoczułe klisze, wzruszające filmy, rezerwuar niepotrzebnych kolorów. Studenckie biura podróży szukają niecierpliwie. Przedpotopowe elektrownie jądrowe w Europie Wschodniej, rozpad atomu. Tamy, kaprys faraona, które miały zawrócić bieg historii i rzek. Może Auschwitz, dotąd zupełnie nie w cenie, odkrywany na nowo dzięki kilku łysym, którzy puścili z dymem turecką rodzinę.

Obozowiska rumuńskich Cyganów wzdłuż zachodniej granicy na nizinie polskiej, rzucających się wpław, w bród, do wody jak garście kamieni. Topielcy wyławiani przez niemieckich nurków. Miasta koszary, puste zimne domy, szare przyczółki wolności opuszczone po latach przez czerwonoarmistów, którzy pozrywali kafle ze ścian, zabrali wannę, zlew i klozet.

Europa ojczyzn, tyle do oglądania. Betonowe pamiątki po murze berlińskim, popielniczki, doniczki, przyciski na biurko. Zwinięty drut kolczasty, sprzedawany na metry. Epolety, guziki, dystynkcje i czapki. Sezonowa wyprzedaż, targowisko epoki.

Wyszliśmy z restauracji i poszliśmy wzdłuż plaży. Słońce zawierało właśnie z morzem pakt atlantycki, proponując nietrwałą równowagę mocarstw.

Jeszcze na lingwistyce przyszło wezwanie do wojska. Dwa intensywne semestry w jednostce specjalnej. Zaszyci w lasach oddawali się arkanom wiedzy stosowanej. Do wiadomych celów.

Nasłuch wojsk na Bałtyku zamiast fonetyki, wojsko wam wykształciło najlepszych tłumaczy. Rygory Achmatowej, musztra Bułhakowa, raport odesłanego znów na wojnę Babla.

Jakiś skandal z dotarciem do tajnego rejestru osób o poglądach zanadto lewicowych. Nie rozumiem, czyżbyście wstydzili się poglądów?

Wyjazdy, podróże, ze wszystkimi zaletami mocnej, wówczas, waluty. Niecierpliwe przeprowadzki, szukanie miejsca w środku.

Jest dobrze płatnym autorem utworów reklamowych, sprzedał na pniu i z zyskiem swoją czystą młodość. Schudł, bo coraz trudniej wyszukać rzeczy, których by nie zachwalał, a nie chciałby na koniec nabierać sam siebie.

Genitalne lody, sterczący ponad kioskiem obelisk zwycięstwa. Samochody, sunące jak żelazko po miękkim krajobrazie, o spalinach tak czystych, że można je wdychać. Żelazka, sunące po pasach koszuli jak posłuszny samochód. Hamowanie, syk pary. Pociągi prowadzące filiżankę z kawą na tle lasów i – tafla kawy ponad taflą – jezior. Wynoszone pod niebiosa samoloty, gdzie dodatkowe dwadzieścia centymetrów między fotelami ma przesądzać o wszystkim, jakby w powietrzu brakowało miejsca. Tysiące kilometrów plus dwadzieścia setnych.

Rozebrani do pasa chłopcy, których nikt nie myśli porównać tutaj do asfaltu, grali na plaży w siatkówkę, przez niewidzialną siatkę: net. Skóra na przedramieniu piekła, uderzana piłką, inkrustowaną na spojeniach piaskiem.

Batony z czekolady, magiczne pałeczki, dzięki którym wygrywasz puchary pucharów. Zamarłe towarzystwo w angielskim salonie, czekające, aż się zaparzy indyjska herbata; zachodzące parą zegarki, ich głośne tykanie, czerwony sekundnik bomby zegarowej: pięć minut, które wstrząsną smakiem. Cwane, oprawne w książkę komputery, patrzące na nas z przymrużeniem oka. Przenośne telefony, rozrodcze komórki. Proszki do prania płócien kolorystów. Kurtyny falujących włosów, zboże przed żniwami. Tabletki do ssania niczym sutki matki. Perfumy o zapachu egoisty. Wydajny olej, tłuszcz na chude lata. Ideologia mających nas w kieszeni spodni.

Co jakiś czas w agencji oczyszczano sumienie i robiono reklamę dla szlachetnych celów. Stwórzmy wielką rodzinę doktora Alzheimera, pod spodem numer konta, składka przeciw śmierci.

Dochodziliśmy do końca wąskiego cypla, całego w fortyfikacjach hoteli. Zamajaczyło rozbawione towarzystwo. Rozpoznałem z daleka znajomą intonację. Urządzaliście zostawione w domu święto narodowe. Tańczymy wokół słupa, naśladując żabę.

Czerwone paznokcie, palce chwytające szklankę. Życiodajny wodospad, whisky – nie przelewki, w kostkach lodu jak w lustrach migające twarze. Pod spodem, drobną czcionką, prawie nieczytelne: alkohole zyskują, kiedy pić z umiarem.

Nie, to nie było wszystko, czułem, że coś zataja. Pęknięcie, tajemnica, która się nie mieści w stworzonym dla potrzeb filmu języku biografii. Kobiety, dlaczego nigdy nie wspominał o nich? Mówił o manekinach podtrzymujących staniki.

Trzeciego dnia dobraliśmy się do butelki, czekającej swej chwili wśród skarpet w walizce. Wyborowa, wynalezione przez Polaków esperanto.

To zaczęło się, jak wszystko, jeszcze w szkole. Koszykówka, braterskie uściski, niewysychający klej potu, szatnie. Gruboziarniste dowcipy pod prysznicem, woda, której nikt nie oskarża o molestowanie.

Lęk wobec rodziców, nieskalanego domu na dobrym przedmieściu. Ogród, wieczór, trawa, obojętnie słuchająca zawierzanych jej sekretów. Normalni starsi bracia, siostra, wiecznie zapłakana, ugniatająca w dłoni plastelinę chustki. Surowy ojciec zajeżdżający czarną limuzyną na inspekcję stojącej na stole kolacji.

Zasady i fasony, przestrzegane przez tych, którzy zostają dyrektorem banku. Tło malowane hojnie podkładową farbą.

Wakacje u dziadków, nad jeziorem, chłodnym, wieczorem lśniącym jak rozlana rtęć. Jeden ręcznik dzielony z tamtym chłopcem ze wsi, nigdy do końca niewytarte plecy.

Rozwinięte na całą stronę kolorowe proporce prezerwatyw, elektronicznie testowanych w fabryce orgazmów. Wytrzymałych i szczelnych, zatyczka do hydrantu. Wystarczy, dosyć, nie będziemy się rozmnażać. W poprzek opakowania półtłustą helveticą: prędzej ci serce pęknie, kasandryczny slogan.

Po tygodniu wracaliśmy w tym samym towarzystwie, które powoli przychodziło do siebie. Kobiety nakładały nowe warstwy kremu, chwilowo porzucając blade ideały. Mężczyźni nurkowali w świątecznych gazetach, po oparciach foteli przebiegał dreszcz wzruszenia. *Home, sweet home*, hodowane w ogrodzie buraki cukrowe. Prosimy zapiąć pasy, zewsząd dochodziło cierpliwe grzechotanie, podzwonne butelek.

Panna w okienku na granicy, sumienna strażniczka rdzennej Europy, zrobiła dla mnie wyjątek i długo wertowała mój jeszcze nowy, niezjeżdżony paszport, szukając w nim wyraźnie relacji z podróży.

Powrót, z powrotem, mylne wyrażenia o osiadłym w słowniku frazeologicznym trybie życia. Stos broszur, zamiast poczty leżący pod drzwiami, utracona na zawsze okazja nabycia o połowę, do wtorku, tańszej remulady. Książka rzucona na biurko w pośpiechu wyjazdu, z odleżyną na jednej, wciąż tej samej stronie. Lodówka, która pracowała nieprzerwanie, dwutygodniowa skamielina lodu. Chodziłem po mieszkaniu, tropiąc swoje ślady, zbierając historyczne dowody istnienia.

Bezcenne własne brudy w brudowniku. Celowo zostawione suche, stare śmieci. W doniczce na balkonie przekwitły szczypiorek. Rozmyślnie niedopite aluwium herbaty.

Tak, zastawiałem przemyślne pułapki. Ulisses, którego nie doczekał ślepy pies, posługująca się lusterkiem żona Lota. Zielone kiełki na bulwach cebuli, brązowe, wątrobiane plamy na skórce od banana. Rozpoczęte na biurku kwartalne rachunki, cierpliwie czekające na łaskę zsumowania. Ponadpokoleniowa ciągłość zer, pokrzepiająca wspólnota inflacji.

Niedokręcony kran w łazience kapał. Paliła się wieczna lampka w piecyku nad zlewem. Łzy wzruszenia i ciepło domowego ogniska, z wodociągów i miejskich zakładów gazowych.

Sklejane od tygodnia błyskawicznym klejem tkwiło nadal w imadle zasiedziałe krzesło.

Przeprowadzacie się tak pochopnie, ściany jak słup reklamowy muszą przyjąć na siebie nowe warstwy tapet. Rozbijacie rodziny – precz z energią jądrową. Gazety pełne są ogłoszeń oferujących nowy adres za pół ceny.

Na stacji benzynowej stoją równo zaparkowane furgonetki do przeprowadzki, katalizator swobód. Kiedy przychodzi sobota, krążą zwinnie po mieście, podwórkowa zabawa w komórki do wynajęcia. Gotowe formularze czyhają na podpis, sześć miesięcy czekania na pogrzeb rodziny. Niewinne formalności, nie wiedzieć dlaczego zajmują się nimi sądy, a nie cech grabarzy.

Zaraz za cmentarzem, na wielkim trawniku, zbudowaliście sobie rozwodowe sklepy. Antymałżeńskie łoża, dziesięć procent zniżki. W klubie stałych klientów, jakiś humorysta nazwie go na ironię wspólnotą familii. W tym miesiącu oferowano w nim scyzoryk. Narzędzie samotności, zupełny scyzoryk. Uważacie nas za barbarzyńców, którzy pod jednym dachem gnębią naraz trzy żony. Jesteście lepsi, bo wasze trzy żony żyją, jak nomadowie, w ciągłym rozproszeniu. Wieczorem zasiadają na zasłużonej sofie, naprzeciw nich troskliwy, z łezką serialu w oku, *pater familias*, cyklop telewizor.

Poszedłem do restauracji. Tańczono. Tłoczono. Kobiety zasiadały wokół małych, obliczonych na kilkoro łokci stolików i pociągały alkohol na przemian z papierosem. Zawsze w grupach, po dwie, trzy, cztery. Na tych samych samotnych słupkach butów na obcasie. Mężczyźni, przeciwnie, lewitowali w pojedynkę, z balastem nieodłącznej szklanki w ręku. Stawali przy kontuarze, wyginając w palcach sprężysty bilet, kartę wizytową. Niezrealizowany, pełen wahań dżoker, zależy, chybił, trafił, walet, który bije asa kier, pik, bez atu, wychodzili w karo.

Na ogrodzonym rurami parkiecie formowały się już, niepewne, na dwa tańce, pary. Partnerzy nachylali się nad partnerkami i jedli ich długie włosy, zaczynając od skroni. Konserwy trwałej, niezdrowe, choć czasem osładzane witaminizowaną odżywką szamponu. Jedni tańczyli po zewnętrznej, sunęli po boku, bez trudu wyprzedzając innych, którzy wiercili w miejscu, coraz głębiej i szybciej, obrót za obrotem, ziemia ustępowała, ciśnienie wzrastało, walczyk – i tylko patrzeć, jak wytryśnie ropa.

Muzykanci używali raptem połowy instrumentów, drugą nagrali zawczasu i zamiast strun szarpali teraz przełączniki. Wasza zależna od elektrowni muzyka. Kiedy czasami ktoś odłączy się od prądu, w gazetach ogłaszają muzyczny ewenement. Co pół godziny urządzano przerwy i ponad stolikami unosił się gwar rozmów. Przysłuchiwałem się, dyskutowano teksty pieśni. Ekumenizm, społeczeństwo dialogu. Wśród ścisku, łamanym lotem, fruwały jaskółki. Kelnerek: zatykały nasze głodne dzioby.

W mniejszej przyległej salce zebrali się młodsi. Na parkiecie tańczono bez orkiestry, luzem, a pod sufitem wisiał, ogromny jak witryna, nachylony ku ziemi, milczący telewizor. Wyświetlał wersy tekstu do zadanej pieśni. Delegowana spośród publiczności, odważna solistka odczytywała je z ekranu, równo, po kolei, w takt biegnącego po literach cienia, pięknym jazzowym głosem, jakby *affrettando, eon variazioni* wzruszenia i tremy.

Nie wiem, jak to się stało, że tańczymy dalej, zupełnie nie zważając na takt i muzykę, coraz ciaśniej, zepchnięci do ciemnego rogu, niebezpiecznie, na skraju platformy wiertniczej. Prosiłem, żebyś się nie opierała o klawiaturę, kiedy piszę, wyskakują tu jakieś niepotrzebne znaki... Zniknęło. Czy zachować? O tak, dla potomności, niech wie, kto zacz. Zaczekać. Ciemny ekran. Cisza.

Chodzicie na gimnastykę, odtwarzaną z płyty, sprężyście wyrzucając ramiona przed siebie. Jeździcie na rowerach, ciężko, bo pod górę, stojąca na pedałach figura galionowa, pochylona do przodu, aż nad kierownicę. Potem z górki, pęd wiatru rozpina sukienki, włosy łaskoczą, plączą się w zeznaniach. Pod dworcem zostawiacie rowery w stojakach. Dalej pociągiem, dziesięć minut, kwadrans, akurat, żeby przejrzeć poranne gazety. Strzelec wczorajszych goli, zaraz pod winietą, ciągle drybluje w okolicach bramki, zwrotny, obecny na obydwu skrzydłach, raz przodem, a raz tyłem do kierunku jazdy.

Obieżyświat kontroler przecina bilety, wszystko w porządku, czeka, aż ktoś odnajdzie kartę.

Po południu wracacie, niektórych brakuje, wyjadaczy nadgodzin ściganych przez terminy. Obluzowane po całym dniu krawaty i mniejsze, lżejsze wieczorne gazety.

Znikacie na niedzielę, pustoszeją parkingi, normalnie tak zapchane, jakby samochody produkowano do stawania w miejscu. Żeglujecie, opływacie przylądek. Co widać od strony morza? Ciemniejszy pasek lądu, plaster plaży i rozrzucone na nim grudki domów. Wiatr, szmuglowany przez granice, łaskocze wielkie brzuchy żagli. O zmierzchu wpływacie do portu, cicho, jak gdyby nagle ktoś odłączył dźwięk. Długi cień masztu zamiata, z rozmachem, rozsypany na betonowym brzegu piasek. Port, zakotwiczenie. Na samym końcu cypla samotna, jak latarnia, budka telefoniczna pozbawiona drzwi, o ścianach pobazgranych cudzymi numerami. Zadzwoń, przy dobrej widoczności, w sprzyjającej porze wypatrzysz gdzieś rozmówcę na przeciwległym brzegu.

Cisza, i tylko czasem rozedrze się mewa. Jak gdyby z góry zobaczyła grozę.

Za zwrot z podatków kupiłem samochód. Zupełnie dobry samochód, który, jeśli wierzyć licznikowi, objechał świat dwa razy, chociaż właściciel twierdził, że jeździł tylko do pracy, po równej szosie, omijając miasto. Po co objeżdżać świat, jeśli nie wstępuje się do miasta? Tak pochopnie zmieniacie samochody, jakby to była nowa zmiana koni, kilkakrotnie zaprzęganych na zbyt męczącej trasie. Kupujecie pękate, nadymane modele, które głośno strzelają czterema zamkami w niewinnych, przestraszonych przechodniów na chodniku. Dopiero po chwili zjawia się właściciel, wsiada, tym razem cicho zamykając drzwi. Po co otwierać czworo drzwi, skoro i tak wsiada się przez jedne?

Co roku podnosicie stawki za auta, które zdołają same podjechać do złomowiska, rabat za to, że samemu się dowlecze na swój pogrzeb. Te, którym udało się przeczekać, znowu rosną w cenie, niedobitki zdruzgotanej armii, weterani.

Nalewałem benzynę i jechałem przed siebie, na południe, bo słońce zachodziło od strony nieobecnego pasażera. Linijka autostrady, co kilka centymetrów gościnne, zawsze otwarte stacje paliw. Benzyna i gazety, głośne, niepozwalające zasnąć za kierownicą nagrania, pastylki, czekolada, wycieraczki, a gdyby i ich nie było dosyć – okulary. Na trawniku obok pasły się króliki o delikatnych czerwonych, prześwietlanych uszach, które skupiały w sobie nasze ciepłe myśli. Jechałem dalej, tak, zgoda, bez celu, ale tak samo, po tych samych pasach co wasi urzędnicy ścigający czas, w tych samych płytkich koleinach wyżłobionych zimą przez uzbrojone koła szukające śniegu. Ustępowałem, zjeżdżając lekko na pobocze. Dziękowali, migając światłami, wkrótce już wszyscy będziemy u celu, wspólnota użytkowników w jednej sieci dróg, solidarność, nawet jeśli trzymać przepisowy odstęp.

Zawracałem, zmierzchało, wskazówka benzyny wyraźnie opadała na czerwone pole, ledwie podtrzymywana rozproszonym światłem. Reflektory powoli oswajały się z ciemnością, wydobywając z niej co chwilę – górą – ostre, błyszczące plansze drogowskazów, dołem – ciemne, bez kształtu, worki zabitych królików.

Zajeżdżałem przed dom, parkowałem, padało, wycieraczki zastygały w uniesieniu. Siedziałem jeszcze chwilę, słuchałem, jak stygnie silnik, wydając z siebie tłumiony jęk zawodu. W oknie na trzecim piętrze obserwowałem światło, zastawioną tam przed wyjazdem pułapkę powrotu. Czekało, wieczna lampka, wejście awaryjne, podłączone do elektrowni ognisko domowe.

Nasi ludzie jakoś przywykali, zastygali w oczekiwaniu. Mesjasz nie przyjdzie, ale co miesiąc nadchodzą zasiłki, nie wiedzieć czemu z ministerstwa pracy.

Zapisywano ich na kursy – w kafeterii, w przerwie między zajęciami, mogli trenować prawdziwe liczebniki. Byliśmy rozchwytywani, bo szkoły dostawały dotacje w zależności od liczby uczonych cudzoziemców. Prześcigały się więc w ułatwieniach, jedna oddała nam w użytkowanie dobrą jeszcze kopiarkę, inna serwowała w południe świeżo gniecione bułki. Jeszcze inna wygrzebała nasz stary przedwojenny słownik na francuski, który w połączeniu z francusko-waszym służył idei zbliżenia, trójporozumieniu.

Niekiedy powstawały drobne nieścisłości. *Les noces* znaczy wprawdzie „ślub", „wesele", *les noces d'or* – „złote gody", ale *faire la noce* to tyle co „hulać", a nie „żenić się" czy „wychodzić za mąż". Nigdy nie mieliśmy owłosionej armii, tamta wojna nas jakoś szczęśliwie ominęła. Żonkil tłumaczycie jako lilię wielkanocną, ale my nie urządzamy Wielkanocy. Zdaje się, że i wy także się wahacie, bo kiedy zajrzeć do innego słownika, znajdzie się wyjaśnienie – żonkil, rodzaj narcyza.

Potem zmieniły się przepisy o nauczaniu cudzoziemców i nie byliśmy już tak cennym partnerem, ale kursy trwały i zamknięty podwórzec szkoły rozbrzmiewał wielojęzycznym narzeczem. Dominowali slawiści, uważający się za awangardę narodów, wybuchowi jak spółgłoski Polacy, nieśmiali, wcale nie imperialni Rosjanie. Ci, którzy trafili do zajętych przez nich grup, nauczyli się wprawdzie waszego języka, ale mówią w nim z miękkim rosyjskim akcentem.

Pod koniec semestru urządzano wieczór. Równo leżące mięsa, starannie oddzielone. Koszerne. Niekoszerne. Alkohole. Niealkohole. Przyprawy, co do których wszyscy się zgadzali, szałwia, tymianek, pieprz zmieszany z wiatrem unosił się w powietrzu, aż wierciło w nosie. Papierowe jak stronice książki kucharskiej talerze. Nauczyciele postradali wkrótce smak i kupowali w naszych egzotycznych sklepach.

Dlaczego słone przecinacie słodkim? Kim był Jansson, głodzony, jeśli uległ pokusie? Chleb albo całkiem twardy, kaleczy podniebienie, albo znów miękki, rozpuszczony w mleku. Dlaczego ciąć wędliny niczym marchew w kostkę, przeciwnie do pokrajanego w cienkie plastry sera? W całym mieście wiszące plakaty, obwieszczenia, że kucharz odnowiciel wziął na ząbek czosnku, eksperyment się odbył w sobotę w Grand Hotelu.

Ktoś znalazł gitarę, ktoś wydobył flet. Rosjanka odwróciła stojące w rogu cello, ujmując je między nogi, jak mężczyznę. Ktoś czystym wysokim głosem obwieścił koniec tyranii i wszyscy przyklaskiwali mu rytmicznie na skraju refrenu. Strofki odśpiewywano w różnych językach, wrogich sobie, proletariusze krajów, powtarzajcie się. Rewolucja, jak Magellan, zataczała koło i pozbawiona karmy gryzła własne dzieci.

Jedna z dziewcząt znalazła się w przeklętym, błogosławionym stanie. Wezwano ją do szkolnego lekarza, aby poinformować, co robi się w takich wypadkach. Ojciec nie zagrzał długo miejsca, nie pękło mu serce, widać nie do wszystkich docierają reklamy kolorowych prezerwatyw.

Urodziła zdrowego, wrzeszczącego chłopca, wbrew otoczeniu, które uznało, że nie zarobiliśmy jeszcze na zasiłki rodzinne. Wszyscy chodzą z nim na spacer, pchając przed sobą wysoki, dumny wózek niczym taran. Miasto jest przystosowane dla niemowląt i inwalidów, wystarczą cztery stopnie, by zakładano windę. Przemierzamy je teraz uzbrojeni w dziecko, w jego płaczu nie poznasz obcego akcentu.

Kupiłem mały fotelik, odlany w plastiku, na wypadek gdyby zechciało się przejechać autem.

Nie wiem, czy dla równowagi, ale najstarsi spośród nas dostali na popielatym papierze zaproszenie, by zwiedzić miejskie krematorium. Wycieczki takie robi się tu raz na miesiąc i pośród emerytów nie brakuje chętnych. W dyskretnym skoroszycie leżącym przy wejściu, ze zdjęciem ptaków lecących za horyzont, komplet papierów, które dobrze będzie wypełnić jak najszybciej, póki jeszcze życia.

Nie skorzystamy, dziękujemy z góry. Nie po to przeżyliśmy, by teraz umierać.

Wasi starcy żyją tak długo, że czytając gazety, trudno oprzeć się wrażeniu, iż obowiązuje w nich cenzura nekrologów. Porozmieszczani w parterowych domkach, o niskich progach, tak aby bez wstrząsu wjeżdżały do nich wózki i łóżka na kółkach. Sanitariuszki dowożą im obiady, w foliowych zawiniątkach, jedzmy, póki ciepłe. Niekiedy się buntują, bo chcą popijać piwem. Zakładają głodówkę, zaciskają usta. Dobrze, niech będzie piwo, byle nie za mocne. Niektórzy hodują nieco młodsze koty, wiotka ręka na twardym wyprężonym grzbiecie.

Statystyki dowodzą: na jednego mieszkańca przypada iks dokładnie odliczonych starców. Statystyki jak zwykle stawiają rzecz na głowie: to jeden iks mieszkaniec przypada na starców. Opłacony z publicznych komunalnych funduszy, urzędowy syn pięcioraczków ojców.

Pamiętam, jak umierał dziadek. W domu, w swoim łóżku. W otoczeniu dzieci i nas, wnuków, wśród których dawno zgubił już rachubę. Nie trzeba było nikogo ścigać przez telefon, w ostatniej chwili – bo wszyscy już byli. Fax, to podstępne zimne urządzenie, które pozwala nam uniknąć obecności. Karmiliśmy go na zmianę zupą, prosto z łyżki, nie tym słodkawym neutralnym płynem, co obojętnie kapie z plastikowych worków. Kran to na pewno wielki wynalazek, ale czasami dobrze jest się przejść do studni. Ojciec ojca, ojciec matki, nie potraficie tego, jak my, zastąpić jednym słowem – dziadek. Nie wiem, po co rozdzielacie odpowiedzialność, skoro i tak spoczywa ona na służbach socjalnych.

Ostatnio, przy rosnącym bezrobociu, powołano specjalne grupy młodych ludzi, którzy przez osiem godzin jeżdżą od domu do domu i zamieniają parę zdań z wytypowanym starcem. Czytają mu gazety, podają witaminy. Młodzi bezrobotni zajmują się emerytami na wymarciu – oto obraz rozwiniętego społeczeństwa dobrobytu.

Zakładacie im elektroniczne zegarki, z podłączonym do centrali alarmem, aby cicho liczyły ostatnie godziny.

Tak, to prawda, rozbiłem jej małżeństwo, ale przyspieszyłem tylko już zaczęty, nieuchronny proces. Dzieci były prawie dorosłe, nie dziwiłbym się, gdyby przyjęły to z ulgą. Owszem, moja studentka, ale uczciwie odczekałem do końca semestru. Zaniedbywał ją, wracał coraz później z głową pełną cudzych pieniędzy, bo pracował w banku. Koniec miesiąca, tłumaczył, bilans i masa płatnicza. Miesiąc kończył się tygodniami, dlaczego nie pomyślał, że i jemu przyjdzie kiedyś płacić. Huśtawka oprocentowania, wiązał i rozwiązywał pożyczki częściej niż sznurowadła. My wiążemy ledwie koniec z końcem, ale nie cierpimy na bezsenność tylko dlatego, że Bundesbank podniósł stopę o dwie setne. Nie ruszyć palcem w bucie, wasze ulubione powiedzenie okazuje się chybione.

To zaczęło się po ostatnich zajęciach, poszliśmy całą grupą do restauracji. Usiadłem naprzeciwko, stolik nie był szeroki i zaplątały się nam nogi. Gestykulowała, inaczej niż inni, którzy opowiadają bez udziału rąk. W końcu niechcący przewróciła wino. Wylało się wprost na mnie, równą, czerwoną strugą. Skrępowany pod stołem, nie zdążyłem uskoczyć. Nie, niedużo, końcówka, litr już pracował w głowach. Rzuciła się z solniczką, żeby wywabiać plamę, niepomna telewizyjnych reklam nowych proszków do prania, zalecających w takiej sytuacji spokój. Naczyńko okazało się dwudzielne i teraz z jego drugiej części wysypał się silniejszy niż tabaka pieprz. Zaczęliśmy kichać, machając rękami, odpędzając rój niewidocznych a atakujących pszczół. Kwaśną woń wina przebijał w kilku miejscach ostry zapach jej perfum, wymieszanych z pieprzem. Roztarta na policzku przesolona łza i roztarty makijaż spierały się o lepsze.

Do muzeów. Przybytków sztuki, gdzie nawet małżeńska niewierność znajduje artystyczne uzasadnienie. Bank sponsorował wprawdzie wystawy, ale niewielkie było prawdopodobieństwo, by wysyłał tam swoich pracowników. Snuliśmy się po strzelistych salach, skrzypiącym parkiecie, odprowadzani sennym wzrokiem strażników niemoralności, para zakochanych szukających swego odbicia na starych obrazach.

Mill, ten, który pod koniec życia zwariował i w jego pogodne pejzaże znad Marny wdarła się groza szaleństwa, drzazga schizofrenii. Aalsen, szare płachty papieru poryte długopisem. Joakim Persson, który obwodził was wyraźnym konturem, jakbyście byli Japończykami, i Kerm, który je zacierał, jakby wszystko malował o zmierzchu. Dawni koloryści, cierpliwie blaknący pod zasłaniającymi ich obrazki płóciennymi zawieszkami, płótno chroniące płótno. Prążkowane światłoczułe kwadraty Ströma, niewidzialny prąd przebiegający pod powierzchnią. Przewrażliwione malarstwo szkoły bergeńskiej, falujące, jakby motyw główny szukał sobie miejsca i rozpychał się na boki

57

spiętrzając fałdy farby. Autoportrety Christy Pieter, nierówna mozaika lusterek, wykręcających usta w grymas pod uskokiem nosa.

Za azteckimi ludzikami Mae Wiess, rozrzuconymi równo po całej powierzchni, bo malowano je w poziomie na rozpostartej planszy – były niepilnowane schody i wstępowaliśmy po nich długo, stopień za stopniem, wyrównując różnicę – na moją korzyść – wzrostu. Potem okopywaliśmy się w księgarni, dziale widokówek, gdzie nareszcie można było dotykać siedemnastowiecznych policzków na portretach.

W samochodzie. Parkowaliśmy w martwym porcie, na opuszczonym nabrzeżu, w miejscu, gdzie szyny zapadają się w beton i pociąg traci grunt pod kołami. W bezpiecznej odległości od wody. Szyby prędko zachodziły parą i stawaliśmy się niewidoczni nawet dla ptaków, mgła nicowana mgłą. Tak, jeden raz w ich służbowym aucie, bo złośliwy mechanik na przeglądzie mojego uznał, że mam wymienić jakiś przegub koła. Nie wydaje mi się, abyśmy tu przekroczyli przepisy drogowe.

Wkrótce przeniesiono go do wydziału walut i coraz częściej wyjeżdżał, zostawiając nam długie, niekończące się wieczory.

W zadymionych klubach jazzowych, gdzie na chwilę zanika narodowość. Tak ciasno, że solista szturcha tańczących na parkiecie wysuwanym raz po raz spinaczem puzonu. W podzielonych na salki zbiorczych kinach, zdradzieckie strzały dobiegały z filmu obok. Na plaży, co chwila zawracającej, jakby zapomniała czegoś w poprzedniej zatoce.

Któregoś dnia wzięliśmy statek na Ekholmen, niewielką wyspę rozłożoną na samym środku Sundu. Nic niekosztujące rejsy dla pijaków, bo i tak wiadomo, że utopią wszystko, do ostatniego grosza, w piwie. Prom celowo nadkładał nieco drogi, aby zahaczyć o strefę wolnocłową.

Wdrapaliśmy się na wzgórze, od dziewiczej strony, na którą nie wjeżdża turystyczny pociąg z posadzoną na masce atrapą komina. Opisywany już, okrężny, zezowaty widok. Długie zdania fal, przecinki żagli. Jesteś u celu, a od nowa ogarnia cię nieodparte pragnienie podróży.

Wracaliśmy górą, po wyprężonym grzbiecie wyspy. Wstąpiliśmy do małego białego kościoła wybudowanego od łagodnej strony, tak wąskiego, że mógłby być swą boczną nawą. Skrzypiało drewno, milczały organy. Na północ żeglowała samotna ambona. W równych rzędach pod ścianą stały śpiewniki psalmów, wystrzępione zakładki zwisały im z półki. Usiadłem, prawie klęcząc, bo następna ławka nie pozwalała rozprostować kolan. Odgrzebywałem w ustach zapomniane zdania, ani do tego Boga, ani w tym języku, ogarnięty paniką grzesznik konwertyta.

Dopiero poniewczasie, za późno, rozumiemy, że można się modlić bez słów i bez formuł, bez zaklęć i bez zanoszenia próśb aż pod niebiosa, całym, *totus*, sobą, *tuus*. Na zewnątrz już zmierzchało, nie doświetlając kliszy, szalone jaskółki z piskiem fastrygowały horyzont. Obok kościoła, na zboczu, rozpostarł się cmentarz. Groby stały piętrami, zawsze głową do góry, tak aby wasi zmarli mogli kontemplować zachód, nieprzejmujący ich już tym, co kiedyś, bólem.

Rychło w czas zorientowaliśmy się, że stoi zegarek. Zaczęliśmy zbiegać, na złamanie karku, jakbyśmy chcieli przeskoczyć cieśninę. Za zakrętem zobaczyliśmy już tylko rufę i rozpłatany ołów wody – dym z komina rozwiewał wątpliwości, gdyby były. Panika – oto odchodziło ostatnie połączenie. Wiadomo, co oznacza spóźnić się o noc w małżeństwie, które i tak, za dnia, goniło już resztkami. Chodziliśmy tam i sam pod baldachimem z ironicznym teraz napisem: przystań. Woda znowu zastygła, prom na horyzoncie poprawiał płynną interpunkcję zmierzchu.

Jakaś para kłóciła się na plaży, podnosząc głos, wyraźnie, ponad poziom morza.

Towarzystwo świętujące na motorówce w porcie zgodziło się przeprawić nas na drugą stronę. – Tak, prędko, prędko, byle jeszcze zdążyć przed ósmą wieczór, przed upływem kłamstwa.

Od tamtej pory trzymaliśmy się już stałego lądu, pewnego gruntu przyziemnych wymówek. Odkryliśmy inne muzea, historii naturalnej, o ileż sprawiedliwszej, zakreślającej co najwyżej północne granice występowania gatunków. Za szkłem wielkie atlasy klasyfikatorów. Südbecka teka ptaków, ich dokładne, czekające, aż ktoś dmuchnie, pióra. Wierność, obserwacja, delikatna siatka cienkich linii, cieni.

Czym jest wierność, czym zdrada? Malował je jak żywe, a przecież leżały przed nim niewątpliwie martwe, zastrzelone, łby im zwisały bezwładnie, dziób kiwał się jak haczyk. Staliśmy przed gablotą, odliczając czas. Dokoła zgromadzono eksponaty rozwiązłości rozciągające się na kilka epok. Czym wobec nich są nasze niespełna trzy godziny wyrwane jej małżeństwu, polodowcowym grzechem?

Malutkie stare planetarium w parku, w niskim beczkowatym budynku każącym myśleć raczej o piwnicy, piwie. Aluminiowa folia w niepotrzebnych oknach, projektor, który chciałby wiecznej nocy.

Puste kawiarnie wywiezione do podmiejskich lasów, stojące na ciepłych płytkach pękate dzbanki z kawą, gruby murzyński strażnik, co zasnął na warcie.

Owszem, współczułem, lecz co mogłem zrobić, to nie my zasiadamy przecież w radzie nadzorczej. I tak zapożyczyłem się po uszy w banku. Najpierw mieć, a potem płacić, wątpliwa, choć bankowa, moralność pożyczek.

Nic nie trwa wiecznie, parę dni po świętach odnalazł moje listy, zupełnie nie rozumiejąc ironii pewnych sformułowań. Praktykowali osobiste szufladki, do których nie wolno zaglądać drugiemu, zalecone przez psychoanalityka w porozumieniu z narodowym cechem stolarzy. Podobno pomylił szafki, nie wiem, nie wnikajmy. Jestem pewien, że prawdziwie kompromitujące dokumenty trzyma w bankowym sejfie, przechowalni wstydu.

W czerwcu, za późno, za krótkie, znów przychodziło lato. Studenci odrywali dachy w samochodach i krążyli po mieście z odkręconymi na cały regulator, mocniejszymi od silników, głośnikami. Ideałem był ostrzyżony na jeża młodzieniec mknący po autostradzie w spłaszczonym bolidzie, z głową ledwie sterczącą ponad linię zbóż, maska przesuwana na kiju w teatrze kukiełek. Befsztyki serwowano na chodnikach i wcale nie stygły, przysypane droższymi od mięsa pierwszymi kartoflami. Apteki ostrzegały przed promieniowaniem, w witrynach wystawiały niepozwalające się opalić kremy i przeciwpożarowe mleka, na wypadek gdyby jednak komuś zdarzyło się zdrzemnąć na plaży. Przed lodziarnią zawisł wielki hamak i goście huśtali się w nim, wachlując puszczające lody. Zamknięto myjnie samochodowe i nie podlewano już więcej pustynnych trawników.

Zacząłem dla ochłody tłumaczyć zimną powieść Nordenströma, o dentyście otruwającym starego pacjenta tylko dlatego, że uznał, iż ten tworzy niedobraną parę z młodą pielęgniarką, w której podkochuje się cała miejscowa stomatologia. Tłumaczenie, asekuracyjne zajęcie dające dziesięcioprocentową zniżkę w firmach ubezpieczeniowych. Księgarnie pełne tchórzliwych, trzymających się kurczowo litery oryginału przekładów, w których cichnie muzyka słów. Spróbujcie kiedyś napisać coś od siebie.

Powoli, ledwie ledwie, zapełniała się pamięć w moim komputerze spodziewającym się czegoś więcej, epickim, dziewiętnastowiecznym. Zaczynałem u góry strony, po czym przeskakiwałem na dół, a środek dopisywałem na ostatku, obserwując z niedowierzaniem, jak zdania wsuwają się bezszelestnie między zdania, odmyka się akapit, a potem spokój, kropka, równa gładka powierzchnia, jak gdyby nigdy nic. A więc można się włączyć, tak że już po chwili nie widać ani zmarszczki, śladu.

Przezroczyste, czyste szkło stylu. Kieliszek goryczy, szklanka. Odrażająca, bezbłędnie napisana powieść. Prawie bezbłędnie, bo bohaterka niesłusznie nazywa się Helga. Klara, nazwijmy ją Klara.

Dziecko, chciano nam odebrać dziecko. Anonimowy telefon uprzedził nas na dziesięć minut przed atakiem. (My także mamy skrytych, głęboko, sympatyków). Panie z opieki przyjechały policyjną furgonetką, z zapasem pieluch i kibitką wózka.

Znęcamy się. Dziecko płacze po nocach, nieutulone z żalu. Niewykluczone, że tęskni do ojca, jego brak może mieć poważne konsekwencje już w dojrzałym wieku, niejedna specjalistyczna biblioteka zapełniona jest pracami opartymi na tej kanwie. Chodzi tylko o wyjaśnienie pewnych faktów, normalna, rutynowa procedura wdrażana samoczynnie w setkach takich wypadków.

Dlaczego leżało w wózku pozostawione przed sklepem? Wystarczający sygnał dla zboczeńców, którzy na chwilę nie spuszczają z oka. Na wiosnę widziano, jak leży na sankach na ledwie zamarzniętym, ale płytkim stawie. (Ręce biją od dołu w grubą taflę lodu, to sen wyrywający ze snu matki na Północy). Jakiego pochodzenia jest otarcie na ramieniu, to trzeba zbadać. Skoro uważamy się za jedną wielką rodzinę, to czy pewnych kontaktów nie da się zakwalifikować jako *incest*? Sprawdzono rachunki w sklepie, wynika z nich, że kupujemy za mało pieluch.

Obeszli wszystkich sąsiadów, piwnice i poddasze, zajrzeli do zsypu na śmieci i do – przeciwnie – pralni. Policjant otworzył suszarnię pracującą pełną parą, która buchnęła mu zaraz w służbowe okulary.

Zostali do wieczora, pani z opieki opowiadała o bezdzietnych rodzinach, niemogących doczekać się adopcji. Odjechali, ale pod domem zatrzymała się prywatna limuzyna, parkująca tam przez całą noc dla dobra dziecka.

Ukrywaliśmy ich przez dwa tygodnie, te same ciemne skrytki chronią raz przed ekstradycją, a raz przed adopcją. Adwokat dostał w końcu gwarancję, że dziecko zbada komisja niezależnych lekarzy. Matka będzie musiała się poddać testom psychologicznym, gdy tylko gildia ochrony zwierząt futerkowych przerwie prowadzoną w obronie białych myszy okupację dręczącego je oddziału. Co trzy dni będzie przychodziła pani z opieki nad nami, by przez kilka godzin prowadzić uczestniczącą obserwację. Z własnym prowiantem i ujęciem wody – w plastikowej butelce – wody mineralnej.

Nie świętowaliśmy zbyt hucznie powrotu bohaterów w obawie, że ktoś z sąsiadów poczuje się dotknięty. Cicha kolacja, bez gitary, która zapomniała na jeden wieczór swoich pieśni.

Do dzisiaj nie wiem, kto nas wtedy ostrzegł. O tak, wiem, przed czym, niech mu będą dzięki.

Oddano nam w dzierżawę ceglany domek na plantach, dawny dworzec S. Södra, przy nieistniejącej od dawna linii kolejowej. Z przeznaczeniem na centrum przybyszy z peryferii, stację węzłową. – Niestowarzyszeni są bez szans, proszę się skupić, zebrać w sobie, zszerzyć – tłumaczył cierpliwie urzędnik, rozkładając przed nami stosowne formularze. Cele statutowe, liczba członków. Za każdą uiszczoną składkę dostaniemy jej dziesięciokrotność, w formie dotacji ujętych w budżecie, tak że pieniądze zwrócą się za parę dni.

Z pierwszej wypłaty zakupiono wielkie, nigdy niestygnące termosy na kawę i stół, który miał nas złączyć, zielony, pingpongowy. Piłeczka wpadała do metalowych rynien wyżłobionych pod ścianą, pozostałości po dźwigniach od zwrotnic, jakby wolała sobie zagrać w golfa.

Wybrano radę, skarbnika, na stojącej w rozkroku tablicy ogłoszeń wymalowano we wszystkich dostępnych nam narzeczach prawo- i lewoskrętne zaproszenie do wnętrza. Ustawiliśmy ją na chodniku jak przed sklepem. Na tyłach, po słonecznej stronie domu, zaorano poletko, niewielki kwadrat ziemi, cztery metry na cztery. Zasialiśmy marchew i temu podobne. Niech rosną.

Nikt nie jest w stanie dokładnie powiedzieć o co, jak, dlaczego, nawet gdyby udało się ustalić wspólny język. Zwyczajne syte popołudnie, ping-pong, kawa. Niewinne żarty, powiedzonka, śmiechy, okno otwarte na peron, na którym od pół wieku nie stała walizka, usypiający głos z radia. Żadnych znaków na niebie, jaskółki tak wysoko, jakby krążyły nad innym, wyższym miastem.

Dwa, dwa ambulanse, na sygnale, który postawiłby na nogi umarłego, a oni byli w końcu tylko lekko ranni. Kłute, niezagrażające życiu rany, trudno, aby nóż do chleba trzymać w pancernej szafie na trzy klucze. Policja, śledztwo, wstrzymujemy się od odpowiedzi, pas.

W ostatnim secie, kontrowersja w obliczaniu punktów, net. Ping-pong jest niebezpiecznym, narażającym na kontuzje sportem. Środki dopingujące, by unieść piłeczkę. Wszędobylscy, szukający sensacji dziennikarze, sugerujący prowokację aryjskiego ruchu oporu. Sami jesteście prowokacją. Nie wiem, może jakieś plemienne różnice, nieokiełznany temperament, zazdrość, zew. Nie, nie będziemy z powodu żałoby rozgrywali zawodów czarnymi piłeczkami.

Kupiłem lornetkę, dwadzieścia na sześćdziesiąt, aby przyjrzeć się dokładnie, z bliska. Siadam za przystawionym do okna biurkiem i najpierw obserwuję chmury, mapę niepogody. Nadchodzą od lewej, pędzone zachodnim wiatrem, prześwietlone kłęby, wśród których zaraz ukaże się Pan. Na chwilę znikają za wysoką kamienicą na rogu, a potem spiętrzają się w nieruchomą bryłę nad zatoką, jakby ta obejmowała również powietrze.

Prześlizguję się po antenach, starych, rysujących okular, i nowych, okrągłych, satelitarnych klapkach na oczy. Między dwoma płatami dachówki wyrasta szara wieża katedry, a centymetr za nią, jak przystawiony do absydy – sztylet kościoła Świętej Trójcy. Pod szerokim romańskim łukiem poniżej rynny zakiełkował schizmatyk bez, smukły, strzelisty, gotycka naleciałość. Rosną, pękają ołowiane płytki dachu, niemieccy rzemieślnicy, przesadnie dokładni, nie przewidzieli tak ciepłego lata. Ponad miedzianą czaszą banku z tej samej diecezji powiewa wciągnięta na maszt flaga, stylizowany karłowaty dąb, któremu przyszło trząść się jak osika.

Dachy. Dachy. Gołębie. Dachy. Wystające z nich, patrzące na dół peryskopy rur wentylacyjnych. Górujący nad wszystkim biały zrąb szpitala, ułożeni na stos chorzy.

Słońce podsunęło się o jedno piętro i od nowa wypala stare cegły. Sroka idzie, kołysząc się, po dachu i jak ekonom liczy mu dachówki. W kratkach wywietrzników zagnieździły się przewiewne wróble i wpisują w nie swoje skomplikowane równania. Wychodzę na balkon, by popatrzeć za miasto. Łagodne wzgórze, na które, wyprostowany, pnie się las. Niczego nieodbijające lustro wody.

Ktoś rzucił podejrzenie, że podglądam sąsiadów. Trudno zaprzeczyć, zajrzałem do kilku mieszkań. Kiedy obserwuję wróble, w prawym oku ukazuje mi się okno, czytam nie dla mnie rozłożoną na sofie gazetę, wiadomości z drugiej ręki. Wieczorem zapalają się lampy, prążkowane tapety nabierają żółtego łagodnego blasku. Ktoś sprząta, na parapecie, proscenium, postawił niebieską plastikową butlę płynu do zmywania, mogę z łatwością czytać etykietę, w połowie podkreśloną kreską zawartości. Ktoś otworzył lodówkę, zaraz ogarnięty jej zimnym światłem, niskokalorycznym. Grube drzwi odwróciły się do okna, magnetyczna tablica przypomnień i ogłoszeń, rachunki, które pochłoną znów pół pensji, kupon za pięć pięćdziesiąt – nie wiadomo na co, bo przygniata go magnes, czarny, w kształcie gruszki, pozostawia niepewność, jak to jeść, surowe, gotować, panierować, osolić czy nie solić, wszystko jedno, przepadło, wypluć – w dolnym rogu dostrzegam, choć pisane szarym drobnym drukiem, że kupon należało wykupić do wczoraj.

Ktoś je, że prawie słychać szczękanie talerzy, z łyżki się leje kilka kropel zupy. Kwiatki, kwiatki, świeczniki, lekko cofnięty stożek żelazka, ciepło. Zielone radio wyświetlające częstotliwość na małym ekranie, mógłbym bez trudu złapać tu tę stację. Nadstawiające grzbietu książki. Niezmordowane telewizory, na które przymykam oko, bo nie zapłaciłem abonamentu.

Młode małżeństwo na ostatnim piętrze odgrywa swą codzienną pantomimę kłótni. Ona ma tego dosyć, tak, żeby wiedział, dosyć, uderza otwartą dłonią w dzielący ich stół, aż lekko podskakuje przezroczysta szklanka. I proszę bardzo, proszę, droga wolna, proszę – pokazują oboje na drzwi do przedpokoju, jakby to było wyjście z sytuacji. Tak dłużej już nie można – on rozkłada ręce i obejmuje wzorzec metra – przebrał miarę!

– Gdzie, gdzie rozum. – Próbuje go namacać, stukając wskazującym palcem w czoło.

Ich starsza sąsiadka z prawej dawno ma to za sobą, dawno przeszła do klasy monodramów. Kupiła, też gadającą, ale mniej kłótliwą papugę, która nie upiera się, by mieć ostatnie słowo. Wracając z pracy, otwiera klatkę i prostokąt okna przecinają szybkie, nerwowo kreślone skosy. Raz w tygodniu, w niedzielę, odwiedza ją ptasznik. Zazdrosny, niecierpliwy zaciąga żaluzje: zakodowany, zakłócony obraz w paski; koniec, czeluść i bielmo, niezgłębiony plastik.

Ktoś gotuje wodę na herbatę i para strzela coraz wyżej z gwizdka, już musi być ją słychać, spóźni się na pociąg. Ktoś smaruje chleb, starannie, jakby impregnował płótno. Potem je przed telewizorem, smakując obrazy, i sztućcem przełącznika przykrawa programy.

Młoda dziewczyna od piętnastu minut zaklina słuchającą jej słuchawkę, odrzuca włosy, bawi się kolczykiem. Mógłbym zdobyć jej numer, wasza informacja, jeśli wierzyć reklamie, kojarzy takie pary. W oknie obok studentka o żydowskiej urodzie pisze nieme dyktando, nowe zdanie, kropka. Co jakiś czas obraca stojący na biurku, świecący od środka globus lampkę. Niebieska struga oceanów, żółte kontynenty jak pierścień płaskowyżu, dewon, karbon.

Ktoś otwiera okno i rozpoznaję znajome, modulowane przez wiatr tony. To wasza narodowa blondynka o pięknym głosie dziecka śpiewa, zaklina go, by wrócił. Zobaczyła słońce, od wielu tygodni wiadomość ta nie schodzi z łamów listy przebojów. Ja widzę księżyc, jest wieczór, opuszczam wzrok na ulicę i w półmroku dostrzegam, jak przez skrzyżowanie biegnie jeż, armia huzarów. Zawraca, czegoś zapomniał. Jeszcze raz zawraca, trudno, przepadło.

Piszecie listy do redakcji, inseraty, odwołania w zawitym terminie. Gryzmolicie po murach, po ścianach tunelu, wielkimi baloniastymi literami, jakby miały unieść ciężar. Zawieszacie aforyzmy na koszach na śmieci, niekiedy więcej warte niźli ich zawartość. W bibliotece, jakby i jej brakowało pism, idziecie do toalety i skupieni, zamknięci, nanosicie na fugi między kafelkami wąskie, streszczające się obscena, krzyżówkę rozwiązywaną na łączeniach kratek. W połowie zimy wypełniacie deklarację podatkowej lojalności. Nie rozumiem, dlaczego żądają, bym i ja tu ujął wygłoszony gdzie indziej, do innej publiczności, na inny, któremu nic do rzeczy, temat, dawno przebrzmiały i nieaktualny wykład, jakiego dzisiaj nie powtórzyłbym w tej formie. Czy mam także odkładać *a conto* dzieł pośmiertnych?

Biegacie, zgodnie – odpoczynek, skłony – potem z powrotem, przeciwnie do ruchu zegara. W miejscu, unosząc wysoko kolana, jak czwórka na jego elektronicznym cyferblacie, tym razem bez ruchu. W wymyślnych, prutych i na nowo zszywanych z masy kawałków butach z uwięzionym w podeszwie bąblem powietrza, który czasami pęka z hukiem, płosza spacerujące w parku kaczki: ktoś, chociaż na piechot łapał gumę, kraksa.

Wytrwale, obiegliście równik, emisariusze krzepy. Raz do roku kapryśni rozproszeni biegacze łączą się w wielką grupę, która przegania ulicami miasta, klucząc nieco wokół rynku, tak aby się zebrało dziesięć kilometrów. Z góry widać, jak pełznie długi wielonogi robak z małą główką lidera i rozciągniętym w tyle ogonem maruderów. Na mecie czekają lżejsze od powietrza balony, powiązane w kołyszący się na wietrze łuk triumfalny. Niekiedy któryś zerwie się przed czasem i szybuje ku własnej zgubie, ciągnąc nitkę: plemnik uwolniony przedwczesnym wytryskiem entuzjazmu.

Wędrujecie, po wyznaczonym szlaku, taszcząc kamień plecaka, w za krótkich spodniach, które odsłaniają łydki. Każdemu wolno zdrzemnąć się pod chmurą, nie pytając o zgodę pana włości, w myśl prawa na rozległych północnych rubieżach, wszystkim przyznającego dostęp do matki natury.

Wiosłujecie, zostawiając za sobą nieczytelny tekst, napisany na wodzie piórem wiosła. Zimą, kiedy lód podstępnie ścina fale, skreślacie go za pomocą długich prostych łyżew podważających prawa tarcia.

Jedziecie na nartach, ugięci w kolanach, kolorowe figurki stojące na podstawce, jakimi dzieci bawią się tu w wojnę.

W szkole zbliżała się sesja egzaminów i nauka przybierała trudne, nieregularne formy czasownika. Zajrzeć, zaglądałeś. Na ćwiczeniach ze słuchu ze starych magnetofonów wypuszczano zamierzchłe odkurzone głosy rzucające w powietrze nieaktualne ceny. Trzeba je było prędko zanotować na różowych oficjalnych kartkach papieru, z fabrycznie wytłoczonym marginesem błędu. Najtrudniej pojąć nazwy i nazwiska, a to od nich zależy w końcu powodzenie. – Peter P. szedł do C., by tam spotkać przeznaczenie, D. Co robiła w tym czasie Cecylia E.? Opowiedz własnymi słowami. Jakby to były nasze własne słowa.

Napisałem dla kogoś gotowiec rozprawki. Na dowolny, mój ulubiony, temat. Styl, styl – wołał o pomstę ołówek korektora, który uważa, że styl oznacza zgodność. Ledwie przeszło, o parę punktów nad poprzeczką zaliczenia. Styl, styl. Styl to odchylenie.

Dwie osoby oskarżono o ściąganie i odrzucono. Za daleko posunięta solidarność narodowa. Nie można udzielać zbiorowych odpowiedzi na kolektywne pytania.

Zachorowała R., ukrywająca się już od pół roku (zmyślone imię i fikcyjna kropka, proszę nie szukać, a jeżeli, to od A. do Z.). Jej wizyta u lekarza odbywała się inaczej niż przewidziano w testach egzaminacyjnych, wskazane będą poprawki w następnym wydaniu.

Jakieś kobiece przypadłości, wymagające jednak interwencji chirurga. Mamy zaprzyjaźnionych lekarzy, podróżnych, niedomowych, bo nie objęła nas reforma służby zdrowia. Ale spróbujcie operować na walizkach, na rozkładanym chybotliwym stole kempingowym.

Szefem kliniki okazał się nacjonalista, nigdy by nie dopuścił do próbek naszej krwi, pobranych poza systemem powszechnych ubezpieczeń. Trzeba było odczekać do jego wyjazdu, pielęgniarki zamieniały się dyżurami, tak aby na planowaną noc wypadł niewielki, dobrze przygotowany zespół czerwonego krzyża.

Operacja, nieokreślona żadnym kryptonimem i nieujęta w dzienniku choroby – miała pomyślny przebieg, pacjent się wylizał. Tak, goi się, dziękuję, przekażę bez zwłoki. Na ogół zwykliście leczyć importowane rany, podejmując konwoje obwieszone plastrami. Ale zdarza się nieraz i miejscowa zadra, nie mówiąc już o kłutych kontuzjach w ping-pongu.

Proszki przeciwbólowe, narkotyki, którym podobno też są winne nasze górskie plantacje, niczego nie ujmując chemicznym Polakom. Barbiturany zsyłające łaskę snu nad ranem. Alkohole, ich poszum, jakby połknąć muszlę. Ustawiacie się do nich w piątek po południu w długiej, choć rozproszonej, niemającej końca kolejce. Niektórzy stają przed sklepem, a tablica nad drzwiami wyświetla po kolei numery nabywców. Najpierw ją wziąłem za termometr, zdumiony, że tak prędko może rosnąć ciepło. Papierosy, zasłona z dymu. Do palenia lub żucia, jeśli zapomniało się zapałek. Piłki. Ryby. Jakiemuś wędkarzowi zaplątały się haczyki i mało brakowało udusił łabędzia. Dzisiejsza gazeta pała oburzeniem. Trzeba było dla niego drukować strony. *Cygnus musicus* odgrywa swoją starą śpiewkę przed zasłuchanym, ale głuchym *Cygnus olor*. *Cygnus kynikos*, niespodziewany powrót łabędzi.

Postanowiłem wyjechać na kilka dni, zniknąć, zobaczyć, jak sobie poradzą beze mnie. Tym razem nie za granicę (jestem za granicą), gdzieś bliżej, ale gdzie mnie jeszcze nie widzieli. Nadarzała się dobra okazja, i przede wszystkim tania (ceny w hotelach są tak wysokie, jakby w każdym z nich spędzać nową noc poślubną). Szkoła mnie wysyłała na gusła pedagogów. Tak, wszystko opłacone, lekką ręką państwa, i do tego suplement za rozłąkę. Z nikim, dziwne, że jakoś dotąd go nie naliczali. Pedagogika, niewolnictwo. Wychowanie. Od podstaw.

Zaczynaliśmy od oddechu. Głęboko, jakby płuca zaplątały się wśród jelit. Wydech, do końca. Wdech, i znowu wydech. Dopiero teraz rozumiemy, że przez lata gromadziliśmy duszności. Dwudziestu trzech pływaków stało w suchej sali i sapiąc, desperacko poszukiwało wody.

Czym jest mowa? Pracą kilku mięśni. Wprawiamy je stopniowo w równomierne drżenie. Nie w pojedynkę, w grupach, harmonijnie, chórem. Obluzowana szyba w drugim końcu sali odpowiedziała tym samym mruczeniem.

Rytmika, krótkie i zdecydowane ruchy, przesądzające o wszystkim, o wszystkim. Będzie je można jeszcze raz przećwiczyć wieczorem na obowiązkowym tangu.

Język ciała, ortografia przedramion, ukryty wymiar, który każe stawać w bezpiecznej odległości, na wyciągnięcie ręki.

Za oknem zaczynał się dokonywać ceremoniał zachodu, na szczęście ogłoszono znów przerwę na kawę. Nie wróciłem już na problematykę bezpieczeństwa pracy, bezpieczeństwo kojarzy mi się z lękiem.

Szedłem przez nieznane mi miasto ogarnięty dziwnym podnieceniem. Naprzeciw mnie, zewsząd, szli nieznani ludzie, tłum statystów. Ulice, dotąd proste, nagle łamały się pod zagadkowym kątem, kluczyły, potem otwierały na plac bez przyczyny z anonimowym jeźdźcem na bezpańskim koniu. Podchodziłem, czytałem napisy, cofałem się o kilka kroków, studiowałem.

Przez środek miasta płynęła niezdecydowana, w kilku miejscach rozlana, w kilku innych rwąca, rzeka, do której wedle waszej filozofii nie dane będzie mi wstąpić dwa razy. Dwa razy, a zatem gdzie jest pierwszy, chrzciny?

Zaczynałem rozumieć ogarniającą mnie od kilku godzin radość, nieznajome szczęście. Byłem wreszcie na swoim, czyli obcym miejscu, turysta, który jest z wizytą, student bedekera.

Pobiegłem do księgarni, kupiłem przewodnik. Obejmował miasto i nawet bliską okolicę, tak że zostawiał jeszcze całą połać szczęścia. Przystawałem na rogu, czytałem zachłannie, porównując opisy drukowane i kute. Obracałem książkę w rękach, tak aby ulice biegły we właściwą stronę i nakładały się na siebie, zgodne. Ktoś życzliwy zagadnął, zapytał, w czym pomóc. Nie chciałem odrzucać, odmawiać mu pomocy, nie podjąć wyciągniętej ręki, lewej, prawej i trzeciej, uniesionej: za wzniesieniem w lewo. Spytałem też o zamek, wyjaśnił z zapałem, jakby posyłał mnie na oblężenie, wały. Poszedłem w tamtą stronę, mijając przykłady klasycystycznej zabudowy z zaznaczonym wpływem. Późnym wieczorem dotarłem do hotelu. W restauracji trwały tanga, wydechy po całym dniu wchłaniania. Przyciśnięte pary, język ciała, ukryty wymiar wbijał im się w brzuchy. Głodny, przemknąłem do pokoju nietanecznym krokiem. Długo nie mogłem zasnąć, zgodnie z zaleceniem zawartym w przewodniku, opatrzonym gwiazdką. Potem śnił mi się urzędnik, przestemplowuje paszport, pokrywając go siatką wizy turystycznej. Odwzorowanie poziome. Zimne poty.

Po powrocie (powrocie, powrót, takie słowo) próbowałem powtórzyć sztuczkę z bedekerem, ale natykałem się wciąż na sklepy, gdzie kupowałem buty albo chleb, do czego niepotrzebny był przewodnik. Wciąż jeszcze próbuję, co noc rozbijam namiot na balkonie, z latarką schodzę do groty w piwnicy.

Zasiedzieliśmy się. Tyjemy. My, którzy zawsze byliśmy tacy szczupli, płascy, niewykorzystany potencjał dla reklam margaryny. Zastygamy w bezruchu. Środkiem brzucha przebiega łagodne wyniesienie, ilustracja słownika pod obcym hasłem: *os*. Ostrożnie siadamy, nie chcąc budzić fałdy. Jest, wyraźnie się zarysowała, przejdziemy na buddyzm.

Łysiejemy, czyżbyśmy chcieli się pozbyć naszych wstydliwych, bo za ciemnych włosów? Nie w nich rzecz. Rzedną, wypadają. Lekarz, tak pewny siebie, z dodatkową brodą, twierdzi, że brakuje nam mikroelementów, wasza odbierająca wszystkiemu wielkość, karłowata skala. Przepisuje miksturę, zrujnuje kasę chorych. Kiedy spędzamy dzień pod waszym niskim słońcem, wieczorem czuć, jak pali na łysinie skóra. Jakby głowa tęskniła sobie do białości.

Po wizycie w tamtym szczęśliwym obcym mieście coraz trudniej mi było usiedzieć na miejscu. Lato trwało, na przekór kalendarzom, nad dusznymi różami cierpliwie brzęczały pszczoły. Kobiety opalały się nieprzytomnie, podkreślając w ten sposób swoją białą rasę (czarni się nie opalą, nieprzewidziany faktor). Noc przynosiła chwilę ochłodzenia, niedomknięta lodówka, z przepaloną żarówką.

Wieczorami wsiadałem na rower i jechałem, starając się zapomnieć o rozkładzie ulic. Zwlekające z odlotem ponad ścieżką owady bombardowały czoło, wpadały mi do nosa. Jeszcze raz oglądałem katedrę, obcymi oczami znawcy, wjeżdżając na nią znienacka, od ukrytej strony.

Pożyczałem coraz to nowe opracowania historyczne i wkrótce wiedziałem więcej niż tubylcy, wy, urodzeni zaledwie w miejscu urodzenia. Otwierały się przede mną skrzydła ołtarza. Gotyckie stalle z końca szesnastego wieku siedziały od kilkuset lat na szpilkach. Święty Wawrzyniec trzymał w ręku ruszta, jakby sam sobie zadał późniejsze tortury, i święty dym niespiesznie ulatywał w niebo. Piekło idące do nieba, oto jak rodzą się herezje.

Podskakiwałem na bruku żydowskiego getta, dzisiaj drogiej dzielnicy w samym środku miasta. Biedni, ironiczni Żydzi: nie wiedzieli, że siedzą na pieniądzach. Gdzieś przeczytałem, że na bruk użyto kamieni służących jako balast statkom. Żadnych łzawych porównań, kiczowatych symboli. Kamienie, lapis. *Lapis, lapidis*. Symbol jest kolektywnym kłamstwem, które wasza kultura wymyśliła, aby oszukać sumienie.

Odszukiwałem miejsca, gdzie w średniowieczu wznosiły się kościoły, trzydzieści kilka kościołów, więcej spowiedników niż grzechów. Zeskakiwałem z roweru pod samym ołtarzem, gdzie dzisiaj stoi kiosk z kiełbaskami. Musztarda, keczup, ewangelizacja.

Potem przyszedł upadek, zasłużony upadek, z którego, jeśli wierzyć podręcznikom, jakoś się mieliście podźwignąć. W osiemnastym wieku najokazalszym w mieście domem był ceglany piętrowy budynek, niewiele większy od naszej stacyjki na plantach. Dzisiaj pielgrzymują tam rasiści, bo kiedyś w nim stanął wojowniczy, zawłaszczony przez nich król. Do budyneczku w mieście, nie do naszej stacji, która, miejmy nadzieję, nie jest im po drodze.

Skręcałem za starym spichrzem, ryzykując mandat, bo przewodniki turystyczne i kodeks drogowy nie mogły sobie znaleźć wspólnej drogi. Wstępowałem do ogrodu botanicznego i z uwagą studiowałem trawy, jakbym je widział po raz pierwszy w życiu. *Acer*, odczytywałem, z trudem, wciśnięte w korę tabliczki, a przecież taki sam klon rósł na naszym podwórku, bez pozwolenia, odważny, bezimienny śmiałek.

Kupiłem nawet turystyczny przyodziewek, tanio, korzystając z obniżki obniżki, bo wszyscy raczej rozbierali się na lato i sklepy świeciły pustką, nieobecnością, brakiem, amputowaną nogawką bermudów.

Kupiłem mały jednorazowy aparat, tekturowe pudełko, które wyrzucasz po ostatnim zdjęciu, jak opakowanie. Zacząłem fotografować okolicę, starannie unikając miejsc, które mogłyby świadczyć, że jesteś tu na dłużej, nie tylko przejazdem, policji, szkoły, pośrednictwa pracy. Szerokim łukiem ominąłem kasę chorych i niezdecydowany stanąłem przed pocztą. Odbierałem tu kilka listów poleconych, wymagających stałego meldunku, dokument tożsamości (z trudem mi wydano, bo żeby go odebrać, miałem go okazać) i umowę najmu. Z drugiej strony (tej samej, w tym samym okienku) na pocztę się odnosi lekkie widokówki, pozdrowienia z podróży skreślone szybką ręką, na chwilę oderwaną od przejezdnych waliz. W końcu znalazłem jakieś trzecie wyjście, kucnąłem naprzeciwko, ujmując jej fragment, tak by zmieściła się na jednym zdjęciu z wyłaniającą się zza drzew katedrą.

Podjeżdżałem do renesansowych pozostałości: zwrócić uwagę na oblankowania. W długiej, lekko odchylonej w lewo, perspektywie ujmowałem stare wały obronne, na które dziś bez trudu się dostają krótkonogie, rezydujące w parku kaczki. Wstępowałem do domu pisarza, obwieszonego girlandami zdań. Pod biurkiem, nienaruszonym od ostatniej kropki, ustawione na baczność dwa blaszane buty: cynowe naczynia napełniane wrzątkiem, na których, niby na pedałach, opierał zimne stopy, cierpiące na artretyzm. Tu powieszono zakaz fotografowania, ze względu na wyblakłe stare manuskrypty, które nie zniosłyby już nowych olśnień. Nachylałem się nad rozłożonymi pod szkłem brudnopisami, gdzie nie można było zmienić już nawet przecinka. Skreślał wszystko: posługujecie się wierszami, których nie ma.

Wspinałem się po krętych uliczkach dawnej dzielnicy profesorów, wśród wielkich willi zanurzonych w zieleni. Ich lokatorzy mieli zwyczaj zaznaczać swą specjalność poprzez wiatrołapy, bocian symbolizował tu ginekologa, sowa wykładowcę filozofii, a nad dachem germanisty sterczał czarny orzeł, dostając od zmiennego wiatru zawrotu swych dwóch głów. Dzisiaj wille gościły całe instytuty i na werandzie, gdzie kiedyś profesor zajadał się jajkiem, trawiąc cholesterol, urządzono podręczną bibliotekę skryptów. Regały opasywały okna dodatkową ramą, po grzbietach książek biegła, podskakując, nierówna nerwowa linia numerów katalogowych, elektrokardiogram wiedzy.

Przy samym końcu filmu przypomniałem sobie, że i ja powinienem się na nim zmieścić, aby się uwiecznić. Usiadłem na krawędzi tryskającej wciąż tą samą wodą fontanny. Mali chłopcy zabawiali się wyławianiem leżących na dnie monet (wrzuconych tam przez urzędników miejskich: specjalny fundusz drobnych na rozwój turystyki). Spuszczali na dno fontanny magnesy na sznurkach, takie same, jakimi ich dziadkowie, o sto metrów dalej, podnosili ze ścieżki ciężkie srebrne bule. Półtora metra sznurka, więź pokoleniowa.

Przede mną defilowały nieobecne tłumy reprezentowane przez kilkoro wysłanników. Matki z dziećmi, ciągniętymi na wyciągniętej ręce, o głowie zawsze zwróconej do tyłu, jakby szukały ledwie co przeszłości. Staruszkowie, pchający podpórkę na kółkach, o prędko mrugających oczach jak u drobiu, wypatrujących dogodnego miejsca, w którym opuszcza się krawężnik. Nachyleni do przodu zajadacze lodów nawijający niewidzialne nitki na kruchą wyszczerbioną szpulkę wafla. Dwoje pijaków, usta, dzióbek od butelki. Letni łyżwiarze, z kółkami przy butach, przesuwający się po taśmociągu. Cztery razy ta sama opalona dziewczyna, idąca w ślad za sobą, po stole montażowym. Mężczyzna z teczką skrywającą ważne tezy i jego brat z plecakiem, skłonnym je podważyć. Spóźniony student z grubym podręcznikiem rzucającym mu plaster cienia na kolano. Dwie przedszkolanki otoczone wiankiem wołających o pomstę umazanych dzieci. Tak, byliście tam wszyscy, podręcznik socjologii. Nawet Hinduska w bawełnianym sari przemknęła gdzieś bokiem, szukając proporcji.

Musiałem się do kogoś zwrócić z prośbą o uwiecznienie na dogodnym tle. Wybrałem w końcu jej piąte wcielenie, w obcisłych szortach i obszernej bluzce, wasza nieprzenikniona, pełna sprzeczności moda. – Tak czy tak? – Przechylała pudełko od poziomu do pionu. – Tak. – Niech będzie widać chociaż skrawek nieba.

W ciągu godziny wywołałem film, chcąc – niecierpliwy – zobaczyć, co widziałem. Dostałem w prezencie nowy, dziękuję, choć na wyrost, bo przecież tu nie macie aż tylu zabytków.

Rozłożyłem na biurku zdjęcia, jeszcze ciepłe, lepkie, i przystawiałem gzyms do gzymsu. Wszystko się zgadzało. Stała katedra, wyniosła jak Mojżesz, i rysa na fotografii oddzielała jej średniowieczny oryginał od późniejszych przeróbek. Ostro zwieńczone kopuły, które zależnie od epoki zdejmowano i zakładano jak czapkę, przebijały na-dmuchany balon wiary. Pod osiemnastowiecznym domem architekta miasta zatrzymał się pies, kudłaty, w upale pokazując jęzor ognia. Rotunda, jak pancernik, zawija-ła wokół siebie cegły, a stara biblioteka obydwu diecezji piętrzyła je cierpliwie niczym woluminy. Idąca po drugiej stronie ulicy kobieta podniosła prawą nogę, aby jej już nigdy nie opuścić, będzie tak stała, chwiejna, papierowa postać. Zegar astronomiczny, za piętnaście wieczność. Fontanna, woda niebieżąca. W miejskim muzeum wysta-wa, do piątego – *terminus aeternitatis* – lipca. Wieżyczki rektoratu nad wewnętrznym dziedzińcem, więzienie wiedzy. Inne więzienie, przylegające do zeświecczone-go przez reformację opactwa, zreformowani mnisi. Go-łąb, zawieszony nad parkiem w przebraniu jastrzębia. Zrudziały tytoń trawy w miejscu, gdzie kiedyś wznosił się jeszcze jeden zniszczony w imię młodszego Boga kościół.

Potem ja, coś mówiący, tak, niech będzie widać, stop, usta w czarnej dziurze, jakby ktoś w tym miejscu skasował zdjęcie, pieczętując tuszem. Płaskowyż, droga znaczona przykuniętymi figurkami tych, którzy nie doszli. O nie, przepraszam, pomyliłem album.

Nie ja wpadłem na ten pomysł, owszem, udostępniłem kil-ka zdjęć z mojego prywatnego archiwum, jestem pewien, że na swój użytek dysponujecie ciekawszymi materiałami, wasz satelitarny aparat fotografuje nas z dokładnością do najdrobniejszego zadraśnięcia i bandaże możecie szyć na miarę.

Nie wiem, kto organizował, nikt, to pojazd samojezdny. W sobotę, przed południem, kiedy ogarnia was gorączka zakupów i łatwiej o pieniądze, w porze obiadowej, restauratorzy narzekali, że odbieramy apetyt, konkurencja serwująca dla odmiany surowe mięso. Nie potrząsamy, jak inni, skarbonką (grzechotnik, który chce wywabić z kieszeni swojego brata, węża), pokazujemy prawdę, zdjęcia, powklejane dla wygody w miękkie plastikowe księgi, na których zawijanym pismem ktoś na skos wytłoczył stosowny pozłacany tytuł: w albumie rodzinnym.

Na twardej drewnianej podkładce subskrypcyjne listy protestu, byłem im przeciwny, bo adresatowi z równym powodzeniem można by przesłać powszechny spis ludności. Różnie, dziesięć, dwadzieścia, odkąd wprowadzono do obiegu banknoty o tym nominale. Poręczna okrągła suma odpowiadająca cenie za wynajęcie filmu, może być też horror.

Ypres, miasto we Flandrii Zachodniej, gotycki ratusz, kanał i kolegiata Świętego Marcina. W 1638 umiera tu Jansenius, jeszcze na dżumę, aby nie wyprzedzać faktów. Szlifiernia diamentów i warsztaty tkackie, sukna, które eksportuje się aż do Nowogrodu.

Odsyłacie nas. Odesłaliście Bałtów, dokładając jeszcze złoto. Tak, zabijali, co za argument, czy dla cudzoziemców należy przywracać odwołaną dla innych karę śmierci, topór? Odeślecie Kubańczyków, na wyspę w morzu potrzeb, czujność, nade wszystko czujność, towarzysze.

Drzewa chylące się nad porcelanowym dachem botanicum, wdzięczne za nazwanie. Bluszcz, zasłaniający doryckość kolumny, motywy roślinne. Na niewidzialnej jak wody gruntowe sadzawce znów podsumowujący wszystko paragraf łabędzia.

Niektóre z fotografii należałoby powtórzyć, aparat obiecywał więcej, niż mógł zarejestrować, przykrawał i tak już skurczony do popiersia pomnik i ucinał w pół słowa nagrobną sentencję. Ale turysta, inaczej niż zbrodniarz, niechętnie wraca na miejsce swej bredni.

Dni robiły się coraz mniejsze, zrywał się wiatr lub słońce znikało między dachami. Kończyłem swą samozwańczą karierę historyka, nie odważając się opuścić ku źródłom, do podziemi.

Nie wiadomo dokładnie, kiedy, skąd, którędy zaczęli tu przyjeżdżać rosnącym strumieniem. W odwiedziny. Do krewnych i znajomych. Przekupny urzędnik w Pradze czy Warszawie sprzedał im najwyraźniej hurtem kopę wiz. Mamy wielkie, rozgałęziające się rodziny, jak przypisy do Biblii i Koranu. Nasze znajomości są nieograniczone, notesy tak pojemne jak księga telefonów. Niepewni pogody, zabierają ubrania na wszystkie pory roku. Niepewni smaku, spakowali także garnitur przypraw. Zegar z kukułką, która zna dzień i godzinę.

Teraz my występowaliśmy wobec nich jako autochtoni, o krótkiej ogniskowej i niedługim stażu. To my wiemy, gdzie wymienić pieniądze, tak aby najmniej na tym stracić. Jak odróżnić mleko kwaśne od słodkiego. Gdzie mąka, cukier, drożdże, gips i kit. Ile kosztują znaczki i gdzie je naklejać. Potrafimy powiedzieć podłużny, w kratkę, gładki, z zapięciem nie z tej strony, ząbkowany, z boku. Obliczyć dodatkową wartość i przeliczyć miary, swobodnie oszacować, ile wytrzymują jednorazowe kubki i talerze.

Czym prędzej porzucaliśmy turystyczne przebranie, prześwietlali niewywołane z głębokości filmy. Byliśmy zasiedziali, tutejsi, mieszczańscy, z numerem telefonu, lokalną gazetą. Teraz przez miasto prowadzimy nową grupę, i znowu poczta, bank, katedra, kino, dworzec. W poniedziałek bywają tańsze filmy, na rozkładzie szukajmy zielonych odjazdów, tylko że oni mają dość przygód i podróży, nawet gdyby udało im się ustalić poniedziałek. Wchodzą do sklepu spożywczego, ale zachowują się jak w odzieżowym, długo obracając w rękach cytrynę, jakby to był niepasujący do reszty kapelusz. Oglądają wystawione przed kawiarnią karty dań, nieczytelny hieroglif czekający na swojego umierającego z głodu egzegetę. Na skrzyżowaniu stają niezdecydowani, rozglądając się dookoła jak na rondzie. Odkręcają kran i czekają, długo, aż wyleje się cała woda. Kilka razy objeżdżają trasę autobusu, zanim wreszcie zdecydują się wyskoczyć, oparzeni, na przystanku, którego nikt nie żądał. Przesuwają się pod ścianami, tak że nawet automatyczne drzwi w domu towarowym tracą ich z pola widzenia i nie zamierzają się otwierać. Kiedy indziej znów trafiają na drzwi obrotowe i chodzą w kółko, aż po zawrót głowy. W końcu dostają się do środka i kupują najtańszą puszkę, pozostaje im jeszcze dokupić kota.

Potem zabieramy ich do adwokata, są osobne, specjalizujące się w naszych sprawach biura. Chodzi o drobne przesunięcie, do sąsiedniej rubryki, spodobało im się, tak, pragnęliby pozostać. Gruby mecenas, który w ciągu dwudziestu lat kariery rozwiódł pół miasta, postanowił przed emeryturą zająć się dla odmiany łączeniem rodzin. Jakie są związki pokrewieństwa, tak, braterstwo, ale nie jest ważne, jeżeli w swoim czasie nie stwierdził go notariusz. Nazwiska, jak najwięcej, gąszcz partykuł, niewykluczone, że powtarzający się przyimek zostanie odczytany na naszą korzyść, jak patronim.

– Czy grożą im represje? – Tutaj, czy im grożą? – Tak, w jakimś sensie także, ale najpierw tam, w stolicy, najlepiej na lotnisku, zaraz po powrocie. – Po powrocie, po jakim, przecież nie wracają. – Z niedowierzaniem przyglądają się adwokatowi, czy dostaje prowizje od linii lotniczych? Do czego mają wracać, wszystko spakowane.

Tak, to prawda, mieszkają jeszcze na walizkach, ale je w każdej chwili można rozpakować, rozłożyć, rozprasować, rozciągnąć, rozstawić. Biegną do pustego mieszkania i zaczynają gorączkowo gospodarować. Wywracają kieszenie, odpinają paski, rozwodzą płaszcz z podszewką, zdejmują zegarek. Na stole w kuchni rozkładają karty i starannie rozrzucają cały cukier w kostkach, łatwe, dające zawsze wygrać domino. Wyjmują wszystkie ostrza w grubym scyzoryku, napuszczają do wanny wody. Jest tego wciąż za mało i światło, jakie tworzy się między rozproszonymi przedmiotami, długo nie daje im zasnąć. O północy ktoś wstaje, idzie przez step pokoju, w małym przenośnym radiu wysuwa antenę.

Oskarżono mnie o uwiedzenie nieletniej, doprawdy zbyt pasjonujecie się powieściami wystawionymi na drucianym stelażu przed kioskiem na peronie. Nie wiem, piętnaście, szesnaście, my zupełnie inaczej obliczamy lata. Tak, zwróciła się do mnie matka, chodziło o trudności językowe, wymawiała za cicho, tłumionym, zalęknionym głosem, jakby miała piasek w ustach, Demostenes, który starł już na pył swoje kamienie. W szkole ktoś poradził im mnie, trudno, aby każdy odróżniał fonetykę od fonologii. Początkowo myślałem, że to afazja, może dlatego, że jeden z jej nauczycieli nazywał się Jakobsson, a wasza rzeczywistość lubi poświęcać się dla żartu. Nieprawda, jeśli jej dotknąłem, to tylko po to, aby wywołać ten skurcz wiązadeł, jaki obserwujemy przy fonetoskopie przedniojęzykowego a, francuskie *arbitrage*.

W moim ciemnym, zastawionym słownikami gabinecie, którego połowę zajmuje stercząca ze ściany szafka z łączami telefonów, czasem wydaje mi się, że dochodzi z niej gwar krzyżujących się rozmów, czy zastałem, tak, proszę przekazać, i wysyłamy jeszcze dziś odwrotną pocztą, suche stukanie przełączników, echo odkładanych gdzie indziej słuchawek.

Przez pierwsze tygodnie milczała, milczała, jakby do piachu ktoś dosypał wapna. Tak, ja mówiłem, ale to także był rodzaj milczenia, klucząc, wdrapując się, by przybrać profesorską pozę. Jesteście raczej małomówni, ale my, my mówimy o wiele więcej, niż mamy do powiedzenia, ćwiczenie całkowicie zbyteczne dla kogoś, kto posiadł umiejętność odróżniania samogłosek.

O wszystkim, wszędzie występują samogłoski. Coś musiało docierać, jeśli wiele tygodni potem pytała o jakiś słabo zaznaczony szczegół, jakby to, co zostało powiedziane, stało wciąż w powietrzu, czekając miesiącami swego dopełnienia. – Zadarty, co rozumie pan przez zadarty? – rzucała mimochodem, a ja starałem się sobie rozpaczliwie przypomnieć, co też było zadarte, jak, od której strony. Robiłem się wylewny, opryskany ogrodnik, narrator, jego także należało leczyć. Słuchała i rzucała replikami z opóźnieniem, statystka, którą wpuszczono na scenę z jedną, dobrze wymierzoną kwestią zawracającą cały sezon.

Skąd miałbym wiedzieć, że przerwała ciążę, trzymacie to przecież w ścisłej tajemnicy, zaszyfrowany spis nienarodzonej ludności. Owszem, wierzę w postęp nauki, ale zapłodnienie wciąż jeszcze nie dokonuje się od fal głosowych, nawet kiedy przemawia wasz nieodżałowany premier, dobitnie, uderzając pięścią w pulpit i ogłaszając program oszczędności, istotnie, spazmatyczny, jakby jednocześnie trwonić, nie zapłodniwszy, bezcenne nasienie.

Odzywała się coraz częściej, krótkie rzeczowe przypisy do moich rozwlekłych wywodów, umieszczone na końcu opasłego tomu, tak że musisz długo wertować, zanim dojdziesz, do czego się odnoszą. Szybko zrozumiałem, że wybiera najchętniej określenia kształtu, zadarty, obły, pomarszczony, proszę darować sobie tę stajenną psychozofię, jest tylko fonetyka, ale i ona znika, kiedy zamknąć usta.

Coraz bardziej czekałem na te krótkie godziny, ożywcze, bo ktoś, komu trudno jest wymówić, oddaje nagle słowom ich boską tożsamość, splendor. W szafce za naszymi plecami stukały poruszane paplaniną łącza, a my dokonywaliśmy szlachetnej, epokowej pracy nazywania. Mech. Krzemień. Kora. Szkło. Spiczasty. Kruchy. Z daleka. Niewidoczny. Metal. Włosy. Kupić. Zewsząd. Na zmianę. Nieuchwytny. Zadrwić. Jak w powietrzu. Składany. Powracający. Żadnych.

W połowie roku zaczęliśmy wychodzić. Złośliwa plotka rodzi się, gdy oczom niczego nierozumiejących widzów ukaże się rąbek tajemnicy. Widziano mnie z uczennicą. Świetnie, doprawdy cieszę się, że opinia publiczna obdarzona jest sokolim wzrokiem. Leżąc na trawniku. Tak, śpiewacy operowi zawsze wstają, ale niektóre alofony korzystniej jest ćwiczyć na leżąco. Trudno zresztą nazwać trawą tę wysychającą mieszaninę mlecza z koniczyną.

Co znaczy zaniedbała, czy do maratończyka zgłasza się pretensje, że po czterdziestym kilometrze nie poskakał sobie jeszcze o tyczce? Ktoś, kto nauczył się mówić, nie będzie teraz transkrybował wypisów z encyklopedii. Nauczyciele, głodni, zjadają ołówek, kiedy nie mają co podkreślić. Żółty czeski ołówek, z sosny, pod którą przechadzał się Kafka.

Nie wiem, dlaczego się nie odzywa, sam jestem zdziwiony, mogłaby czasem napisać dwa słowa, ale teraz, kiedy potrafi już wymówić wszystkie, nie mają one zapewne takiej atrakcyjności. Przeglądam niekiedy ćwiczenia, które jej dawałem, w tym samym ciemnym gabinecie, wieczorem, kiedy nawet na łącza telefoniczne spływa łaska niemoty.

Przykro nie jest odpowiednim słowem, naprawdę potrafią zranić tylko osoby, do których przywiązaliśmy się nad miarę, czasem wyobrażam sobie, że chodzę z jej albumem, jak nasi kolekcjonerzy monet i podpisów, jestem pewien, że zebrałbym ich więcej. Są bliskie, na wyciągniętej ręce, rany, które chętniej dzieli się z bliźnimi niż spis odległych obrażeń zadanych przez uzbrojonych po zęby małpoludów.

Nie, nie uważałem jej za córkę. Nie jestem zdenerwowany.

Lato kończyło się równie gwałtownie, jak rozpoczęło, z sykiem, jedna wątła zapałka zanurzona w wodzie. Glony przekwitały i oddalały się na południe, w długich procesjach, niby na Boże, z wodorostów, Ciało. Zapełniały się parkingi i podnosiły opuszczone przed kilku tygodniami żaluzje. Koledzy z tej samej klasy spotykali się na rogu ulicy i patrzyli na siebie trochę nieufnie, jakby wakacje wykopały między nimi płytką przepaść w piasku. Spadał ożywczy deszcz, balustrada na moim balkonie kipiała, podłączona na chwilę do miejskich wodociągów. Tylko kobiety starały się jeszcze podtrzymać tę specjalną, nieco elektryczną, opaleniznę, po której wasza rasa poznaje się z daleka.

Wasz pożal się Boże prawicowy rząd – który w państwie niebędącym mańkutem zaledwie zbliżyłby się do środka – wyzwalając coraz to nowe obszary gospodarcze, postanowił także puścić wolno taksówki, dotychczas cierpiące na *numerus clausus*. Ktoś, kto był kiedyś mechanikiem dwóch stacjonujących w naszych górach samochodów, zobaczył w tym swoją szansę, ostro, wyraźnie, w południe masyw szczytu, kiedy opadła już poranna mgła.

93

Formalności nie trwały długo i zaraz po mieście przemykały zwinne pękate samochodziki, przypominające nieco pneumatyczne zabawki. Wszystkie pomalowane na czerwono i pokryte wysypką reklamowych napisów, tak że już samo obwożenie tekstów prawie zwracało koszty za benzynę. Minitaxi, w okienkach sterczały ciemne głowy naszych.

Miały prawo parkować na tych samych postojach co wielkie limuzyny, transport powietrza, ale stawały skromnie na końcu kolejki, wiedząc, że i tak tutaj długo nie zagrzeją miejsca. Maksymaliści z bezczynnych limuzyn patrzyli coraz groźniej, ocierając czoła. Ich wściekłość pracowała na wolnych obrotach, ale kiedyś musieli chwycić za lewarek. Zaatakowali nocą w garażach za miastem. Wszystko jak leci, szyby, drzwi, błotniki, ze szczególnym okrucieństwem znęcając się nad licznikami wyświetlającymi niższą taksę, deklarację wojny. Mieliśmy nafaszerowane elektroniką ostatnie modele, z czytnikiem do kart kredytowych, z podręczną drukarką, gdzie wystarczy przycisnąć odpowiedni guzik. Maksymaliści woleli jednak tradycyjne, mechaniczne rozwiązanie. To będzie was kosztować ładnych parę groszy, bo ubezpieczyliśmy auta w państwowej agencji. Sprawców, jakich sprawców, dokonaliśmy przecież samookaleczeń.

Po kilku nieudanych próbach udało mi się zrobić prawo jazdy taksówką. Najpierw, jeszcze niepewny, woziłem sam siebie, sam sobie uchylając przednie drzwi i podnosząc z siedzenia lekki bagaż gazet. Samotny chłopiec porzucony w willi na przedmieściu, który musi udawać i policjantów, i złodziei. Nasze małe samochody nie miały automatycznej skrzyni i na prawym przegubie długo jeszcze czułem delikatne drżenie, dreszcz rozkoszy, przechodzące niezauważalnie na lewarek zmiany biegów od cicho pracującego silnika, ręka na brzuchu mruczącego kota. Przecinałem miasto krótkimi sztychami, od świateł do świateł, od domu i do dworca, jakbym miał do załatwienia coraz to nowe sprawy w jego raz jednym, a raz drugim końcu. Mierzyłem czas przejazdu, na skróty, tą drogą, gdzie ruch dla zwykłych samochodów jest wzbroniony i w szrankach pozostają tylko rowery i taksówki, i piesi czasami niebezpiecznie zahaczający o ulicę, stający w małych grupach, niepomni zakazów.

Po dwóch dniach (nocach, bo przez dzień nasze samochody są rozchwytywane i nikt nie pozwoliłby mi na puste ćwiczenia) czułem, że mogę gościć pierwszych pasażerów. Dostawałem adres, właściwy, i nazwisko, zwykle przekręcone, bo trudno was pojąć. Jechałem. Stawałem. Czekałem, nigdy dłużej niż kilka minut. Na dworzec, do szpitala, na gimnastykę, ze zwichniętym, usztywnionym szynami kolanem, kule ustawiały się obok lewarka zmiany biegów i wystawały między fotelami jak dodatkowy podgłówek. Spóźnieni, ścigaliśmy rozkład jazdy i umówione godziny. Banknoty, monety, reszta. Bagaże, zamki, klamki.

Czasami, mimo pośpiechu, nie zdążaliśmy, krótkobieżny pociąg odchodził i trzeba było jechać aż do sąsiedniego miasta, leżącego wprawdzie blisko, dziesięć minut drogi, ale tam czułem się już zagubiony, tak że to ja właściwie powinienem brać taksówkę.

Niekiedy okazywało się, że pasażer delegował tylko pakunek, odnosiłem go pod wskazany adres, nareszcie, byłem zbawcą, i może jeszcze zdążą, parę gorących minut przed terminem.

Potem przychodził piątek wieczór i pasażerowie przebierali się w droższe ubrania, wybiegali z mokrą głową, musiałem włączać wentylator, bo na szyby wstępowała para ścigająca nas z ledwie zakręconych pryszniców. Na światłach kobiety poprawiały makijaż, podnosząc się w siedzeniu nie gorzej niż w strzemionach, tak by dosięgnąć swego odbicia w moim wstecznym kosmetycznym lusterku. Ich pończochy brzęczały na zakrętach, jak zawory, noga o nogę. W krótkich chwilach przerwy wietrzyłem auto, bo perfumy zderzały się z wodą po goleniu i przez chwilę czułem się niepewnie, niezdecydowanie, otoczony przez czułych transwestytów.

Ci z centrum bawili się na przedmieściach, a ci z podmiejskich willi jechali do centrum, na jeden wieczór miasto wywracało się na lewą stronę, ściągany przez głowę, zrywający okulary sweter. Adresy podkreślano dodatkowo rozpalonymi na progu kagankami, porównajcie je raczej do kuligu niż cmentarza, dlaczego psuć tak dobrze rozpoczęty wieczór, zapach perfum, brzęczenie pończoch, karnawał.

W połowie wieczoru zaczynały przychodzić dramatyczne wezwania od rozbitych par. Dwie taksówki podjeżdżały od południa i północy, wschodu i zachodu, i stawały przed drzwiami, prawie dotykając się nosami. Potem gnały pod jeden już końcowy adres i pozostawiały ich samych wobec rzutkich wyrzutów, oskarżających się oskarżeń, jak mogłeś, jak mogłem, na schodach pobrzmiewała gniewna koniugacja.

Inni znów oszczędzali na nas, łączyli się w pary. Zamiast dwóch podjeżdżała teraz jedna taksówka i parła pod, dla niego albo dla niej, nowy adres, ku innej, w cudze paski pościeli. Tylne siedzenie wzbierało podnieceniem, ruchliwe ręce przebiegały przestrzeń, już wolny pas startowy, od barku do kolana. Samochód wypełniał się powoli wonią piwa, potu, czasami czkany adres okazał się nie tym, ktoś pomylił ulice, ktoś pomylił miasto. Jeździłem cierpliwie wkoło, licząc na otrzeźwienie, wyrozumiały, ja, który pomyliłem kraj.

Po mieście przemykały nieoświetlone rowery, targane na wszystkie strony jak w prawdziwym wyścigu. Młode dziewczyny wracały na piechotę i oddychały głęboko, aby zostawić zapach alkoholu w rannej mgle. Jeże kładły się spać, oddając wachtę kosom. Ktoś rozbijał butelkę o narożną lampę. Spod kiosku ruszał na dziecięcym wózku transport najświeższych gazet, lipa wiadomości.

Parkowałem pod domem, wchodziłem na górę. Rzucałem się na łóżko, ostatni pasażer. Budziłem się co chwilę, na rogatkach snu. Rano liczyłem utarg, czyli własny portfel. Podwajałem swą nauczycielską pensję, do niej nikt nie doliczał napiwków za akcent.

W sobotę pojechaliście po zakupy do centrum. Wielkie, szeleszczące torby wypełniały bagażnik. Szary, zdrowy papier, na który nie zużyto ani gałązki. Plastik obiecujący, że rozłoży się w ziemi, żyzny plastik. Zamknięty obieg, zdrowie, u nas mówi się na to: gonić w piętkę. Czułem, jak katalizator w samochodzie napręża się, aby nie zawieść waszych oczekiwań. Czerwony balon unosił się nad siedzeniami i zasłaniał widok we wstecznym lusterku. Balony wypełnione helem, dołączane do zakupów, tak aby ulżyły naszej ciężkiej doli.

Przebieraliście się w nowe ubrania i zaraz po południu wracali na koncert. Organy w kościele Świętej Trójcy, trio. Powietrze cudem przemieniające się w muzykę, miechy Boga. Organista, szczupły mężczyzna w drucianych okularach pod stromą ścianą blaszanych piszczałek: alpinista u stóp lodowca. Nieco dalej, w sali koncertowej, zaprojektowanej jak odwłok sterowca, orkiestra symfoniczna stroi instrumenty, podnosi wrzawę, w klasie, na chwilę przed lekcją. Dyrygent podnosi rózgę i zapada cisza. Dyrygent podnosi dłoń, chór nabiera powietrza.

Po koncercie na obiad, zastawione stoły, tuczni kelnerzy. Babcie, którym pomagałem wsiadać, otwierając drzwi i przytrzymując laskę. Patrzyły z niedowierzaniem, na wysłannika z zaświatów, jakby taksówka wiozła ich do grobu.

Wieczorem następowała jeszcze jedna zmiana. Starsi zostawali na przedmieściach, zapadnięci w kanapy, za palisadą flaszek. Na młodszych czekały znowu nigdy niewygasające ogniska zabaw.

Było już późno, dobrze po północy, choć jeszcze spory kawałek do świtu, który przychodzi nieprędko, pełen wahań, czy nie spuścić na was wiecznej nocy. (Jesienią mu pomożecie, przesuwając zegarki, i wtedy pojawi się ta niczyja nieprawdziwa godzina: czujemy się, jakby ją tu zastawiono na nas). Szła po krawężniku, po równoważni, nic nie wypiła, proszę, niezmąconym krokiem. Lewą rękę trzymała lekko uniesioną, zatrzymując wszystkie nieistniejące o tej porze samochody. Zwolniłem, niepewny, czy rzeczywiście chce wsiadać. Machnęła energicznie i podbiegła do drzwi. – Proszę jechać. – Dokąd? – Przed siebie. – Tak, wcale nie zamierzam się cofać, ale za chwilę staniemy przed dylematem skrzyżowania. – W prawo, za każdym razem w prawo. – Chciała nas wepchnąć nawet w jednokierunkowe ulice. Wyciągnęła banknot – starczało na benzynę, ale nie na mandat. Krążyliśmy bez celu, nawijając nić na szpulkę miasta. Po trzecim okrążeniu stanąłem przed domem. – Ja wysiadam. – Uchyliłem drzwi, zwracając jej banknot. Siedziała wbita w fotel, nieporuszona, z zamkniętymi oczyma, wokół których makijaż zaczynał ustępować miejsca zmęczeniu.

Poszedłem na górę i wstawiłem wodę na herbatę. Wróciłem z gorącym kubkiem: – Nie wiedziałem, czy słodzić, włożyłem jedną kostkę. – Rano do łóżka podałem jej kawę, bez mleka i bez cukru, bez wstydu i bez pytań. Była niedziela, zimne słońce, dzwony w katolickim kościele biły na trwogę naszych nocnych grzechów. Nadal nic nie mówiła. Tak. Nie. Dziękuję. Czy może zadzwonić? Dzwoniła po taksówkę: jaki tu jest adres? Długa granatowa limuzyna podjechała, zastawiając drogę czterem samochodom na parkingu. Stanęliśmy w progu. Dotknąłem jej włosów. Były wilgotne, choć nieprzemakalne. Przez okno zobaczyłem jeszcze, jak wsiada, przytrzaskując drzwiami połę płaszcza.

Po południu wyjechałem znowu. Na postoju pod dworcem odnalazłem tę limuzynę, która uwiozła ją rano. Tak, pamiętał. Na północne przedmieście, pod duże bloki, bez adresu, zniknęła w przejściu między domami, równie dobrze ta i ta ulica, labirynt identycznych klatek, wśród których gubią się nawet ich mieszkańcy. Nigdy więcej jej nie spotkałem, przycięta poła płaszcza, chustka na pożegnanie.

W niedzielny wieczór wracały dalekobieżne pociągi. Wychodziłem czasami na peron, aby przyjrzeć się powrotom. Kwiaty rosły w rękach mężów, kielichami do ziemi. Psy wpatrywały się w nieskończoność szyn, wstając i siadając co chwila, jakby chciały odnaleźć miejscówkę na peronie. Pociąg stawał majestatycznie i sapnięciem otwierał pneumatyczne drzwi. Psy podrywały się do biegu, trzymane na napiętej smyczy. Czekający i wysiadający szli naprzeciwko siebie, jak rewolwerowcy. Strzelały pocałunki, obejmowały się objęcia, walizki zamieniały nosicieli i toczyły się dalej w ślad za pociągiem, ścieranym z elektronicznej tablicy na znak, że powrót się dopełnił, zdążył na czas, zamknął. – Jak podróż, czy nie wiało? – pytaliśmy z troską. – Nie, skądże, pociąg nie rozwijał żagli.

Wracałem do postoju, otwierałem bagażnik. Dźwigałem ciężar cudzego istnienia, ubrania, i pod niewsuniętą bieliznę, buty noszone w rękach, książki – podróżnicze, prowiant na drogę, której nie starczyło, w grubej butelce poziomnicę perfum, spadek terenu w ukryciu walizki.

Na ogół rozwoziłem samotnych wracających do swojej wieży i wiedziałem, co na nich czeka. Wierne rachunki, obniżki w kilku okolicznych sklepach, które solidarnie i mnie proponowano, parę gazet z korektą nieostatnich wiadomości, archiwalne nagrania głosu przez telefon, ciemne sedno lodówki, niepodlane kwiatki. Niekiedy ktoś ekspediował tylko walizkę, samemu odszukując swój odstały pod dworcem rower, wycierał kurz z siodełka i ze wzruszeniem odnajdując pewną nierówność pedałów, w pozycji na punkt szósta umykających w lewo, jechał przez park, na skróty, koło starej gazowni, i hamował przed domem równocześnie ze mną. Niekiedy wracali dwoje (samochód się zapodział) i wtedy byłem świadkiem, jak rodzi się opowieść.

– Wygodnie, tam gdzie przedtem, i ciotka już lepiej, wyrastają kuzyni, pięknieją kuzynki, zamarzł hibiskus i kret się zagnieździł w ogrodzie, następny dom za kioskiem, proszę zatrzymać resztę, tyle by opowiadać, walizka pozdrowień.

Zmierzchało, zaczynał siąpić nieodzowny deszcz. Powstrzymywałem wycieraczki i neony rozpierzchały się na boki: gaz uciekł z rurki i za chwilę zgaśnie.

Wspólne pralnie, suszarnie, w których możesz dotknąć cudzej bielizny, kiedy nikt nie patrzy. Sauny, powrót do wieku pary, potoki potu. Biura w centrum miasta przerobione na sale gimnastyczne, siłownie, gdzie galernicy wiosłują sztangami, dźwigając płaskie wzorce kilogramów. Ciepłe pływalnie z podrobioną falą, plastikowe rurociągi, z których z pluskiem wypada biały pływak ciała. Lustrzane perfumerie z zapasem zapachów, gdzie przekłuwają uszy, słuchaj, nic nie słychać.

Jesień znowu uderzała ze zdwojoną siłą, zbuntowany watażka, któremu udało się zebrać rozproszone wojsko pod krwawymi sztandarami. Chłód oblepiał ciało jak łapczywy kochanek, dla którego nie ma tajemnic. W witrynach wystawiono grube swetry z nakrapianej wełny, zeszłorocznej, sprutej, bo moda na wielokrotność użycia dotarła także do sklepów z odzieniem. Lampy uliczne gasły na tak krótko, że rodziło się podejrzenie, iż tkwią w nich migacze.

Kina świecące ostatnimi afiszami, rozjaśniającymi zbrodnie, oblegane przez tłum rozbawionej młodzieży szukającej podziału na zło i dobro, śmiech i płacz, pościg i pogoń, mężczyzn i kobiety.

Wielkie piętrowe biblioteki otwarte późno wieczorem, z wychodzącego na park pokoju kopiarek raz za razem wydobywający się oślepiający błysk wiedzy, gdy gruby wolumin nie pozwala domknąć wieka. Katalogi zgromadzone na kilku plastikowych krążkach, darmowa podróż przez kraje i epoki. Rzeczowe komputery, które są w stanie skrzyżować wszystko ze wszystkim, łagodność i przemoc, lęk i sen, owoce i warzywa, was i nas, nie, tej kombinacji nie przewidziano, wynik poszukiwań – zero trafień, pudło.

Musiał być pod dłuższą i troskliwą obserwacją, bo aresztowano go za którymś dopiero powrotem. Dla niepoznaki sprawdzano zresztą wszystkich, sumienni celnicy w prezerwatywach rękawiczek otwierali walizki i obracali pod światło bezpłodne przedmioty. Narkotyczny pies przechadzał się wśród bagaży i szukał sobie smacznych kąsków.

Nie wiem, dlaczego wybrał na *porte-parole* właśnie mnie, który z ledwością potrafię unieść własne końcówki, pewnie znowu ze względu na gramatykę, ktoś, kto przejawia choć odrobinę zdolności językowych mógłby zostać u nas prezydentem kraju, nawet jeśli nie nadaje się na skarbnika w towarzystwie lingwistycznym. Po masakrze taksówek powiedziałem kilka ostrzejszych słów, które zaraz zacytowała miejscowa gazeta, a potem powtórzono je jeszcze w lokalnych wiadomościach w telewizji, złośliwie opatrując napisami, jakby to, co mówiłem, było nadal w obcym dla was języku. Od tej pory uważają mnie za rabina, ajatollaha, telefon zaufania, Zygmunta Freunda i poradnię anonimowych alkoholików.

Dość powiedzieć (zdradliwe wyrażenie), że poprosił o pośrednictwo przy przesłuchaniach, uważając, może i słusznie, że tłumacz dorzuca to i owo od siebie, aby podnieść średnią płacę.

Długa historia, sam powinien ją spisać, zdaje się, że nie będzie mu przez najbliższe lata brakowało czasu. Kobieta, szukajcie kobiety, nie bez powodu narkotyki to po francusku rodzaj żeński. Tak, jedna z tych słowiańskich piękności, które nie żałują pudru i perfum marki nomen omen opium.

Dlaczego? To przecież nie ma nic wspólnego. Nie, nie widzę związku.

Na północ, nad morze, do tych wypoczynkowych miejscowości, które nadal chętniej nazywamy po niemiecku, nie mogę powiedzieć wszystkiego, bo śledztwo jest przecież zawsze w toku. Tak, białymi przerdzewiałymi promami, porcja narkotyków, jakie szmuglują tam w czasie jednego rejsu, jest więcej warta niż cała ta flotylla. Między zaparkowanymi pod pokładem samochodami przechadzają się marynarze i oferują wódkę za cenę wody mineralnej. Na wszystkich statkach dostaje się ekwiwalent alkoholowy, inaczej nie dałoby się wytrzymać.

Poznał ją jeszcze po naszej, waszej stronie, poznał ją jeszcze tutaj, w jednym z tych zadymionych, zadżumionych klubów nocnych, gdzie cudzoziemcy nawołują się w nie wiadomo jakim języku, ponad jazgoczącymi replikami nagranego na kolejną płytę discjockeya.

Niewiele trzeba, jeden taniec, jedno roztargnione dotknięcie policzka. Alkohol, pot, perfumy. Czy warto opisywać, jakie wrażenie robią kobiety na kimś, kto nie leżał obok nich od miesięcy? Zmysły tańczą, hormony pracują, parują. Włosy, obcasy, nogi, zakładane na nogi na wysokich barowych stołkach przy kontuarze. Był kupiony, sprzedany, skasowany najpewniej już tego pierwszego wieczoru, pierwszej nocy. Niewiele musiała z nim robić, przez cały następny tydzień pisał, piał sonety, Słowianie mają duży wkład w naszą literaturę.

Najpierw jeździli po półwyspie, trzymając się możliwie blisko wybrzeża, jakby to były zaślubiny z morzem. Do tych mało malowniczych portów, gdzie nawet w czasie sztormu panuje tylko niezmącony spokój. Na strzyżone nożyczkami pola golfowe, które nie tylko fryzurą przypominają waszych nacjonalistów. K. grający w słowiańskiego golfa – trudno wyobrazić sobie bardziej przygnębiający widok. Nie wiem, czy szukała kontaktów, nie jestem specjalistą od styczności. Podobno jednak ta młotkowata gra służy u was dobijaniu interesów. Wcale bym się nie zdziwił.

Po kilku tygodniach wyjechała, wygasła jej wiza, a podejrzewam, że także, zawodowe przecież, zainteresowanie. Jego listy nie miały końca, jeszcze ostatniego nie wyjęto ze skrzynki, a już gotowy był następny, oszalały bęben korespondencji. Trzeba by dokupić kilka skoroszytów, gdyby miała znaleźć się w aktach sprawy. Sucha, aromatyczna przyprawa nostalgii. Niskie światło schyłku, prymitywny filtr założony na rurę obiektywu. Czym jest dramat odseparowanego ciała wobec zbiorowego losu, który pozbawia nas wszystkiego, nawet prawa do korespondencji? Czy sądził, że przygotowując miłosne niepowodzenie, można uchylić się przeznaczeniu historii? Wrzucona do ogniska zapałka, pęknięta porcelanowa filiżanka ustawiona na krawędzi rozpadliny po wstrząsie tektonicznym.

Zaczął zataczać swoje regularne, cotygodniowe podróże. Powinien był się zaokrętować, taniej by mu wyszło.

Po pewnym czasie nie wiadomo już było, co jest wyjazdem, a co powrotem. O to właśnie chodziło, by go przyzwyczaić.

Nie wiem jak długo, ale podobno skrytki pod podwoziem zaczęły już pokrywać się rdzą, ciekawe, jak zareagowaliby mechanicy na przeglądzie technicznym. Powinniście zawiesić ruch turystyczny z Europą Wschodnią, która teraz z wielkim trudem uczy się liczenia głosów w parlamencie. Wszystko przebiega tamtędy, odkąd otwarto granice i wraz z nimi kantory wymiany pieniędzy. Wszystko, mafie i narkotyki, dżuma i jej usłużni roznosiciele. Wasi zaangażowani publicyści rzucają się, aby bronić wieloryba, bo wyniosło go na mieliznę. Oni, którzy już od dawna siedzą w brzuchu innego, gnijącego wieloryba. Dywagujecie, czy przystąpić do Europy. Czy warto dyskutować nad tym, gdzie leżą Dardanele? Staracie się o dokładność w rachunkach, do trzeciego miejsca po przecinku, bałwochwalcy promila, a tymczasem inny kontynent zachodzi was od tyłu, napiera i podlicza w bezwzględnych liczbach zysku, wcale nie dbając o deficyt, dług publiczny i przecinki.

To, co wasi dziadkowie i dziadkowie waszych dziadków gromadzili przez pokolenia, starannie, wpisując do kajetu i kolejnych konstytucji, stało się teraz sprawą kilku sezonów. Przypomnijcie sobie narodowy obraz, tak cenny, że nikogo nie stać już na jego utrzymanie, opłacenie strażników i składek ubezpieczeniowych. Kilku wiejskich chłopców walczy między sobą o monetę rzuconą im przez hrabiego. Czy tak trudno wyobrazić sobie, co mogą uczynić prawdziwe pieniądze rozpostarte przed zbiorowością, która do tej pory posługiwała się kuponami towarowymi? Robicie narodowy skandal z powodu ministra, którego sfotografowano obok kelnerki z niedopiętym dekoltem. Zmuszacie do dymisji miejskiego urzędnika, bo pozwolił, aby jakaś firma budowlana zafundowała mu tydzień wakacji w wybudowanym przez nią hotelu. Dlaczego wasi dociekliwi ekonomiści nie przestudiują obrotów w kantorach wymiany walut, choćby tych kilku portowych, więc granicznych miast. Po co kupować sterty dolarów, jeśli się wcale nie wyjeżdża do Ameryki? Tak, wiem, że to nie jest zabronione, a obok banku rozgościła się automatyczna pralnia, gdzie można pozbyć się także brudnej bielizny.

Wszystko, co najgorsze. Emerytowany nauczyciel łaciny, który dorabia jako uliczny sprzedawca biletów tramwajowych i histerycznych gazet. Młodzież pijąca alkohol, którego nazwy nie jest w stanie poprawnie przeczytać na błyszczącej etykiecie. Dawni sekretarze partyjni o płytkiej, niesięgającej ostatniego plenum pamięci, ubrani w miękkie, flauszowe marynarki liberałów. Siepacze zakładający kluby odnowy biologicznej. Tajni agenci gorączkowo uzupełniający memuary, w przeczuciu, że to do nich wraca władza. Grubi księża używający imienia Boga nadaremno. Pieniądze, wszędzie pieniądze, coraz więcej pomnażanych inflacją pieniędzy, wypychających kieszenie motłochu.

To stało się niemal jednej nocy i, obudzeni, mieli wrażenie, że nic nie będzie już jak dawniej. Inaczej rośnie trawa, niepodległa stopom tyrana. Ptaki śpiewają wolne pieśni, pozbawione fałszywych nut peanu. Sprawiedliwie, solidarnie rozkłada się siła ciężkości i wiatr wieje swobodnie, w dobrowolnie wybraną stronę. Nowość, nowość, nowości, radosne funeralia, postępowe posuwiste tańce, dla nowo narodzonych nie ma nic, co było.

Jest tylko to, co było. I będzie coraz bardziej.

Dlaczego mieliby się fatygować, sami sobie to przywieziecie. Wasze nowoczesne samochody z gdakającym alarmem mają jeszcze spore zapasy zakamarków. I tak zaparkujecie na tych strzeżonych placach, które w ich ponurych miastach zastąpiły skwery, trawniki, parki i place zabaw dla dzieci. Strzeżonych przez kogo? Czy tak trudno się domyślić, do kogo należą parkingi i nowe czyste hotele, co tak zachwyciły waszych higienicznych dziennikarzy? To jest ten sam syndykat, byłby w stanie wam przez jedną noc wymienić każdą śrubkę i uszczelkę w samochodzie, a tu chodzi przecież tylko o przyklejenie parokilogramowej paczki do podwozia. Po co tam jeździcie? Czy mało jest pięknych i nieodkrytych miejsc, gdzie w najgorszym wypadku możecie zarazić się salmonellą?

Dwadzieścia dwa i pół kilograma, absolutnej czystości, jaką uzyskać można tylko w warunkach laboratoryjnych. Oni zawsze mieli dobrze rozwinięty przemysł chemiczny, nie zdziwiłbym się, gdyby pracowali nad tym bezrobotni chemicy z Akademii Nauk, gdzie miesięczna pensja profesora z ledwością wystarczyłaby na parę gramów preparatu. Zapakowane do trzech paczek rozmieszczonych na prawie równoramiennym trójkącie podwozia: dwa nadkola i niewielkie wgłębienie, gdzie montuje się uchwyt rury wydechowej. Całkowicie powlekane cynkiem podwozia i tylne zawieszenie osobne dla każdego z kół, tak że nawet po wyboistej drodze suniecie jak po maśle.

Nie ma jej, nie istnieje, nie figuruje w tamtym rejestrze ewidencji ludności, do którego sami przecież dostarczyliście komputery. Owszem, zdjęto odciski palców, są tak rozmaite, jakby nieszczęśnika obejmowało kilkanaście par rąk naraz. Nie rozumiem zresztą, o co chodzi, przecież macie winnego, wasz system ewidencji pojazdów jest absolutnie wystarczający.

W toku, zawsze w toku. Trzeba wszystko skrupulatnie sprawdzić. Wszystkie niewyjaśnione przypadki z ostatnich czterech lat. Morderstwo małej dziewczynki, porzuconej na sianie we wsi pod L. Zaginięcie braci bliźniaków, którzy nigdy nie wrócili z wycieczki do lasu. Zatonięcie nowego jachtu przy bezwietrznej pogodzie zeszłego lata pod Ekö. Nawet zagadkowa seria zgonów wśród maratończyków narciarzy wymaga teraz nowej, odkrywczej analizy.

Terroryzm, oczywiście terroryzm. Powiązania z aresztowanym handlarzem broni. Dawno rozwiązane bojówki przywracane do życia przez waszych pamiętliwych komisarzy. Tylko patrzeć, jak będą sięgać do historii kryminalistyki i obarczą nas odpowiedzialnością także za dziewiętnastowieczne nieszczęścia i zbrodnie.

O, nie, my nie potrzebujemy narkotyków, i bez nich jesteśmy dość oszołomieni.

Cztery lata, wyjdzie po dwóch, z których już sześć miesięcy ma za sobą. Wasz wymiar sprawiedliwości należy do najłagodniejszych w Europie. U nas tyle orzekają za niechętne spojrzenie, za lekkie odwrócenie niezawracanej głowy, na razie ironiczną, opuchliznę warg.

Kto powiedział, że to ja ją rzuciłem? Być może wasi informatorzy są biegli w opisie siatki terrorystycznej (tylko dlaczego wpadacie w nią: ławica albo plankton), ale opisowi małżeństwa, naszego małżeństwa, nie są w stanie sprostać nawet wasze rzeczowe raporty. Z pozycji bezstronnego świadka zsuwać się zaczynam na fotel oskarżonego. Chciałem tylko zauważyć, że u nas w tej materii obowiązuje cokolwiek odmienna jurysdykcja.

Poznałem ją na którejś z tych deszczowych konferencji w dawnych, archaicznych, demokracjach ludowych – tautologicznych, jąkających się, bo ich ojcowie chrzestni nie mogli przecież wiedzieć, co tu oznacza *demos*, jak sądzą, po łacinie. Nudne, rozwlekłe wywody socjalistycznych fonetyków pracujących nad tym, aby każda głoska wychwalała Pana. Obiad w zakładowej stołówce, poetycko sformułowany jadłospis, ciekawy materiał dla semantyków szukających desygnatu w szarym, zalewającym wszystko sosie. Zobaczyłem ją po drugiej stronie kontuaru, za ustawioną na nim piramidą kompotierek z galaretką owocową, która dodawała rumieńców jej bladym, lekko wklęsłym policzkom. Kilka zdawkowych uwag, zbytecznych przypisów do referatów wygłoszonych przed południem.

Wszyscy czekali na wieczór, kiedy pękały ciasne ramy naukowego rygoryzmu i wódka lała się szerokim i ciepłym strumieniem. Już dobrze po północy znaleźliśmy się w jej pokoju: obraz nad łóżkiem pokazywał scenę z narodowego eposu; myśliwi szli w stronę lasu, zataczając równe, zaciskające się półkole, pętlę; za cienką ścianą chrapał niczego się niespodziewający dzik. Pierwszy raz dotykałem wtedy europejskiej, śliskiej bielizny z archipelagiem koronek i szeklami haftek. Jesteśmy górskim narodem i nigdy nie mieliśmy dostępu do morza.

– Tak, płynąć, płynąć, choćby ku zatracie.

Doczekałem do końca semestru i przeprowadziłem się. Nietrudno było wówczas dostać stanowisko lektora w bratnim kraju, do dziś jeszcze odbija mi się alkohol, który musiałem z tej okazji wypić. Już chyba wolałbym wieprzowinę, ale ich myśliwi wciąż szli tym samym kołem, polem, las najwyraźniej musiał iść przed nimi, a w sklepach była tylko wódka i był ocet, tak, cierpkie jednakowo, więc już lepiej wódka.

Pamiętam skrzypienie. Za dnia skrzypiały krzesła w starej bibliotece (a przez otwarte okna dobiegał pisk tramwaju). Nocą skrzypiały węgi w naszym łóżku (tramwaj wyjeżdżał dopiero nad ranem). Dzienne i nocne tajniki wiedzy.

Szczęśliwi, co znaczy szczęśliwi? Spytajcie leksykografów, a powiedzą, że to słowo należałoby wykreślić ze słowników. Tak, zaspokojenie. Wspólnota? Rano gazety proklamują jedną, tę fałszywą, pełną wskaźników, planów i sprawozdań. Planów, których nikt nigdy nie zamierza, i sprawozdań – raportów nicości. Wieczorem, w domach, tworzy się ta druga, skierowana przeciwko pierwszej, fałszywej, i zakrapiana wódką, zyskuje wyższy procent prawdziwości. To wszystko jedno, ciężar czy objętość.

Zamieszkaliśmy w dużym domu jej nieżyjących rodziców, starym, pełnym zakamarków, o łamiących się ścianach, jakby murarz miał w ręku plan piętra złożony we czworo. W krótkim ogrodzie rosło jedno drzewo, pigwa, o owocach tak twardych, że nadawały się tylko do moczenia w alkoholu. Oto co oznacza monopol spirytusowy.

Trudno powiedzieć, to miało jakieś urzędowe znaczenie, wiza, świadectwo pracy i akt ślubu wystający spod sterty innych papierów. Oni tam mają niewzruszoną wiarę w moc zaświadczeń. Wszędzie pieczątki, wysypka, epidemia pieczątek. Nawet na bochenku chleba nalepiają karteczkę z okrągłym stemplem piekarza biurokraty.

Tak, uniwersytet, przycupnięty za ogromnym nieczynnym kościołem z lekko pochyloną wieżą, jakby zatrzymany w pół uderzenia dzwon pociągnął ją na prawo. Jakieś ledwie czytelne ulotki upychane między fiszkami w starych katalogach bibliotecznych: cimelia. Studiowałem je na przemian ze starodrukami, z jednakowym stopniem niezrozumienia.

Na wiosnę zniknął jeden ze studentów, najwyraźniej zamieszany w tę działalność. Nie z mojej grupy, ale czasami pojawiał się na wykładzie, widząc we mnie zapewne rewolucjonistę. Znaleźli go tydzień później, w wykopie za miastem. Nieszczęśliwy wypadek, jakiego trudno uniknąć, jeśli ma się krew na pół zmieszaną z wódką. Pompowali czy wstrzykiwali, jakie to ma znaczenie, niewykluczone, że poili go metodą usta-usta. Tak oto zderzają się upojne utopie z polityczną nekrofilią.

Pogrzeb zamienił się w patriotyczną manifestację. Czarne flagi, czarne chusty, na których tle nawet ja wydawałem się blondynem. Ktoś długo przemawiał, wyraźnie akcentując zapożyczenia z francuskich osiemnastowiecznych dokumentów, nieleżący w duchu słowiańszczyzny oksytoniczny akcent. Ktoś wdrapał się na krzywą wieżę zamkniętego kościoła i trzy razy uderzył donośnie, za czwartym jednak już ledwie muskając misę dzwonu, tak że można było sobie wyobrazić, jak ciężkie serce zawraca tuż przed celem, alarm, któremu tak niewiele brakowało, by postawić na nogi całą okolicę. Spuścili milicję i białe pałki unosiły się nad zbitym czarnym tłumem, w spazmatycznych podrygach, jak zewsząd prędkie kreski na starej zdartej kliszy: grad. Musiałem dostać w głowę, biały ekran, napis, koniec tego odcinka, kurtyna, krzesła, cisza.

Kiedy tylko odzyskałem moc w prawej ręce, pojawił się emisariusz z wyświechtanym papierem, na którym należało złożyć podpis dekretujący powszechną równość i sprawiedliwość. Poczułem się Mojżeszem, gdy stawiałem kropkę.

Wkrótce potem wezwali mnie do działu współpracy z zagranicą, przy rektoracie, ciekawa peryfraza wiadomej komórki. Nie rozumieją. Dziwią się (oni, starzy wyjadacze, zachowali dziecięcą zdolność do zdziwienia). Przecież wiadomo, kto za tym stoi, leży, pies pogrzebany, czyja woda, młyn. Inspiratorzy. Za plecami, w cieniu. Tak, chodzi o to, by wycofać podpis. Ewentualnie złożyć nowy, równie zawijany, pod sprostowaniem tamtego fałszerstwa.

Dalsza współpraca między placówkami badawczymi okazała się niemożliwa. Trudności językowe. Terminologiczne. Brak koordynacji badań. Brak odczynników.

Zawieźli mnie na dworzec i wsadzili do wagonu sypialnego, innych zresztą nie było w tamtym nocnym składzie. – Chyba zaśnie pan sam – to zażartował sobie mój opiekun.

Niczego nie zrzucam, nasze małżeństwo było martwe już dobrze przedtem. Najpierw tyle nas łączy, połykamy wszystko. Każde skinienie przywołuje, a dotyk rozpala. Potem tracimy czucie, możesz wołać, krzyczeć, zamknięte na głucho, pusto, pniem zarosły przestwór.

Tam jest łatwiej o intymność. W krajach policyjnych szczególnie dobrze rozwijają się wiersze liryczne.

Pamiętam nogi, spuchnięte tak, że wieczorem trzeba było zakładać buty o dwa rozmiary większe. Chodziliśmy, jak wieczni turyści albo wasi przemierzający miasto inspektorzy od źle zaparkowanych samochodów: *ront*. Jeśli chce się rozmawiać i mieć jaką taką pewność co do liczby słuchaczy, nie można zostać w domu, trzeba wyjść i iść. Literatura podróżnicza tryska zdrowiem w krajach, gdzie paszporty wydaje się z przepisu lekarza.

Zawsze w te same miejsca, do parku i nad rzekę. I zawsze niskie słońce, za cenzurą chmur.

Tak, tutaj jest inaczej, chmury są wolne, swobodne, zwieszają się niedbale, zrzeszają, łączą w związki, potem podchodzą wysoko, zasłaniają niebo i latające pod nim srebrne samoloty. Możesz mówić, do woli, całkowita pewność, że nikt nie słucha, nikomu nie wadzi. Szeptać, zaklinać, planować zamachy, wołać o pomstę, do ściany, w której nie ma – wbrew temu, co piszą gazety – mikrofonu.

Rozpad, milczenie i irytacja, krzyki o to, że na stole w kuchni zostały okruchy po śniadaniu. Pierwsze przypadkowe zdrady, ostatnie chwile czułości, która jak wyrzut sumienia przychodziła po nich. Odjechałbym wcześniej, gdyby nie prorodzinna działalność służby bezpieczeństwa. Anonimy opisujące moje wyuzdanie z pomysłowością przewyższającą Kamasutrę. Używaliśmy ich jak podręcznika technik seksualnych, policyjne kartoteki są prawdziwą składnicą i wiedzy, i rozkoszy, nigdy bym nie przypuszczał, że można to robić i w ten sposób. Nocne telefony podczas moich wyjazdów na niekończące się konferencje. – Czy pani wie, co w tej chwili robi pani mąż?

Nie, nigdy potem. Tylko dzięki nazwisku czasami pojawiającemu się w „Kwartalniku Neofilologicznym" wiem, że żyje.

Chłopiec, to była ostatnia wiadomość, jaką mi przekazała. Posyłałem im słodycze i owoce, ale paczki wracały nieotwarte i nadgniłe. Szesnaście, wkrótce siedemnaście lat. Wieczność. Kamień.

Jesień wracała jak do siebie, na swoje, deszcze, wiatr i mgła wciskająca się wszędzie, nawet do silników, które, spowite nocną wilgocią, charczały nad ranem, usiłując zaskoczyć. Przez park przetaczano ogromną dmuchawę, wzniecając na trawnikach burzę zeschłych liści: na chwilę, z desperacją, czepiały się drzewa. Lampy w mieszkaniach po przeciwnej stronie ulicy zapalały się coraz wcześniej, tak że uczestniczyłem już nie tylko w nieproszonych kolacjach, ale także podwieczorkach i popołudniowych herbatach. Łamaliśmy się kruchym ciastkiem jak opłatkiem. Ustawiony na parapecie podświetlany globus zaczynał się żarzyć wczesnym popołudniem, i kiedy na ulicy zapadał prędki zmrok, on świecił coraz wyraźniej, jakby przedstawiał przeciwną, drugą półkulę w pełnym słońcu dnia. Wieczorem otwieraliśmy flaszkę wina, płomień świecy się ślizgał po krzywiźnie szklanki.

Kolejna reforma systemu ubezpieczeń uczyniła z nas prawie pełnoprawnych bezrobotnych. Musieliśmy tylko raz na dwa tygodnie wypełniać równym łacińskim alfabetem stosowne rubryki, jedna pod drugą, od poniedziałku do niedzieli, za którą zresztą nie płacono, odpoczynek po całym tygodniu bez pracy. Nowy rodzaj kalendarza, ma szanse wkrótce zastąpić te kolorowe płachty (dokładane bezpłatnie do zakupów w sklepie), na których zupy wyznaczają czas. W konkurencji z azjatycką grypą rozszalała się europejska epidemia kursów i urzędy zatrudnienia zamiast pracy proponowały teraz samodoskonalenie, zajęcie według Konfucjusza niemające końca.

Dostawałem coraz więcej ofert pracy, każdy nowy bezrobotny mógł mi ich przysporzyć, tak, jestem waszą odwrotnością, wklęsły tam, gdzie wy jesteście wypukli, rewers i awers, *verte*, ręka, rękawiczka, trzpień i zapadka, patentowy zamek. *Schadenfreude*, trudno zaprzeczyć, igła zadowolenia, kiedy na liście następnych studentów odnajdywałem dawną kierowniczkę kadr.

Egzystencjalne dramaty, antyczne, godne Ajschylosa, ponieważ w poniedziałek między dziewiątą a siedemnastą komuś podarowano osiem wolnych godzin, pustkę, horror, szmat, step bezpańskiego czasu. Idziecie do sklepu i z uwagą, przez kwadrans, studiujecie teksty na pudełku z proszkiem, z którego przy odrobinie zręczności można znowu ulepić kartofle. Między śniadaniem a kolacją urządzacie przerwę obiadową, trzeba ją zakończyć, kiedy czas na kawę. W osieroconych biurach organizujecie kursy wytrwania do piątku, zapłakanej sekretarce, pod którą rozstąpiła się ziemia, próbujecie wmówić, że nazywa się, jak kiedyś, Nina P.

Prześladujecie ich nawet wieczorami, w zadymionej kawiarni – wystrojonej odpadkami samochodów ze złomowiska – gdzie nie znajdziesz dwóch jednakowych krzeseł, nagroda za wzornictwo. Dość pokazać stempel z urzędu zatrudnienia i można kupić ciastko dwie korony taniej.

Narodową dyskusję wywołała propozycja administratora północnych landów, aby stemple przystawiać wprost do ciała, najlepiej na przegubie, powyżej zegarka, jak w dyskotekach, skąd na chwilę się wychodzi, przekrzykując ciszę, i zaraz wraca, na front, pod kanonadę bębnów: wyzwolenie.

Tym razem kursy zlokalizowano w Eslöv: mały dworzec, już na nim czuło się podmiejskość, jedna główna ulica, wszystkie inne boczne, obowiązkowy rynek z ogromnym hotelem, który pomieściłby wszystkich mieszkańców, gdyby im przyszło do głowy spać w hotelu pod domem. Latem pływalnia, pisk oblewanych, mokre odciski stóp na ciepłym betonie, zanikające pod żelazkiem słońca. Zimą lodowisko i zatopione w nim napisy, zdania, zawijane, dyrektorskie podpisy holendrujących, kleksy upadających. Między sezonami w nieupalne, niemroźne dni, które wymykają się porom roku, giętkie figurki chłopców zawisające na chwilę nad turkoczącymi deskami, podrzucanymi, obracanymi, posuwanymi w poprzek po uskokach schodów, jakby powątpiewali w wynalazek koła.

W E. zostawali emeryci i młodzież, dziadkowie i wnuki odsyłający średnie pokolenie porannym pociągiem w dal do pracy. W południe wylegali na rynek i przyglądali się sobie z niedowierzaniem, oto kim zostaniemy, oto kim byliśmy, zasiłki wychowawcze i emerytury starego portfela przypadały na farbowaną, siwiejącą, łysą i niezaprzątającą sobie głowę – stąd – mieszkańca. W banku koło cukierni procentowały oszczędności. W piekarni rósł chleb. Rosły włosy, do czasu, bo potem, u fryzjera Ericssona, cicho spadały, ścięte, na podłogę. Psuł się wzrok, u optyka w rynku ktoś od nowa uczył się alfabetu, be, a, wymawiał, ess, bezgłośnie, jakby odebrało mu także mowę. Bezszelestnie obracały się płyty w sklepie muzycznym, sprzedawca wokalista połykał powietrze. Czas mijał u zegarmistrza, datowniki na poczcie odliczały swoje godziny. Spadał deszcz i otwierały się spragnione wody muszle parasoli. Jedne stały nieruchomo, jakby jedzono pod nimi lody. Inne posuwały się do przodu, niespokojnym, omijającym kałuże krokiem. Któryś odjeżdżał na rowerze, lekko pochylony przeciw wiatrowi sztandar niepogody. Fontanna pracowała, moknąc w strugach deszczu.

Od dworca szedł nierówny, wysypujący się na jezdnię pochód. Ktoś włączył dźwięk i pod butami rozległo się skrzypienie wilgotnego piasku. Z oddali dobiegały strzępy rozmów i czasem jakiś krótki, starty z kaszlem, śmiech.

Wstąpiłem do jednopokojowego, jednoosobowego biura turystycznego, eksponującego w oknie wzory lekkich waliz. Spytałem o adres. – Tam – pokazała głową zasiedziała recepcjonistka, z wywieszką od bagażu na kieszeni bluzki – nie sposób się pomylić, proszę iść za nimi. E., w którym nie było pracy, nie było co począć, gościło teraz tłumy stemplariuszy – każdy mógł liczyć na swój brak zajęcia.

Centrum kształcenia ustawicznego mieściło się po drugiej stronie rzeki, kilka minut drogi przez most, który zwężał ulicę i zmuszał szeroki pochód do łączenia się w pary, dwójki bez sternika. Nie mieściło się: pomarańczowi robotnicy dostawiali dwa nowe skrzydła, niech nas poderwą do lotu, mówił minister pracy, wbijając pierwszy szpadel w ziemię i rzucając do góry oślepłą dżdżownicę, czy ona także miałaby podfrunąć? Praca postępowała i wkrótce już robotnicy zasiądą w zbudowanych przez siebie lokalach, zastanawiając się, jak znaleźć nową.

Ja, który nigdy nie sprzedałem śrubki, miałem teraz uczyć międzynarodowej korespondencji w interesach, epistolarnej rachunkowości, listów do Koryntian. – Szanowny Panie – zwracaliśmy się do nieznanego adresata, z którym dwa pisma dalej dobijemy targu. – Prosimy o przyjęcie wyrazów prawdziwego szacunku. Przedziwnego szacunku – ktoś przeskoczył o jedną linijkę w słowniku.

Zgodnie z naszym wcześniejszym listem z listopada potwierdzamy zainteresowanie szybką dostawą rur. Prosimy o dosłanie kompletu papierów i szczegółów na temat pozycji łożyska. Potwierdzamy nasz przyjazd, niech wyjdą na dworzec, będziemy machać z okna czerwoną chusteczką.

Kupowaliśmy wszystko jak leci, nie targując się o cenę. Sprzedawaliśmy zwyżkujące i kupowali spadające akcje, doprowadzając przedsiębiorstwa na skraj bankructwa, głównemu księgowemu rwąc w miejscu, z poważaniem, niezwłocznie, przed terminem włos z łysiejącej głowy. Wystawialiśmy słone rachunki, których nikt nie płacił, ciągaliśmy po sądach, ogłaszali upadłość i wstawaliśmy z martwych, trzeciego dnia, ale licząc tylko robocze.

Na pełnych zrozumienia komputerach pisaliśmy nasze curriculum vitae. – Byłem sprzedawcą, jechałem na rydwanie wózka na zakupy. Byłem kontrolerem, szeregowałem cyfry, brałem w kółko wyniki, które się nie zgadzały, w pętlę, saldo mortale.

Byłam sekretarką, wiedziałam wszystko, trzymałam rękę na pulsie, czas to pieniacz. – Inspektorem nadzoru, wydawałem zezwolenia. – Prawnikiem, *dura lex*.

Byłam stewardesą, wznosiłam się i opadałam, któregoś dnia podwozie odmówiło posłuszeństwa i musieliśmy lądować na brzuchu, żyję, niewielka skośna blizna na lewym policzku, czekająca na swą sąsiadkę zmarszczkę. Do dziś przechowuję ten złamany obcas, ostre jak amunicja obcasy, wysokie, jakby im pułap chmur stał za nisko.

Byłem ekonomistą – zarządca po francusku – omijałem podatki. – Ekonomistą, porównaj z oszczędny, ściągałem niezapłacone podatki, należności. Przyszły zwolnienia grupowe, odeszliśmy wszyscy, tylko podatki pozostały.

Potrafię pracować w grupie, także tych niezwolnionych, potrafię się dostosować, potrafię się dołączyć.

Nie poddaję się stresom, a moje życzenia mieszczą się całkowicie w ramach umów zbiorowych. Pozwolę sobie zaczekać. Pozwolę sobie zadzwonić.

Po godzinie robiliśmy przerwę na kawę, bo także ona stanowiła przedmiot zajęć, brunatne plastikowe kubki, oddech pary, praktyczne stosowanie ustawowej przerwy. Wracaliśmy do zarzuconych listów: co u Pana, tak dawno nie pisałem, z niekłamanym szacunkiem. Tu u nas nic nowego, zimno i stara bieda. Załączam załączniki, muszę kończyć, obiad.

Obiad robiła inna grupa kursów, nadzieja gastronomii, kucharze swej przyszłości, łudzący się, że recesja być może nie obejmie uczucia głodu. Jedliśmy podgrzewane wzory dań. A potem znowu kawa, kwaśny smak nicości.

Po południu kończył się dzień bez pracy. Wracaliśmy do miasta, gdzie ciemność osaczała nerwowe neony, rozpierzchaliśmy się po otwartych do późna sklepach, łączyli z tymi, którzy wychodzili z prawdziwych biur, naśladowali ich machanie teczką, raz, dwa, i noga w nogę, dotrzymując kroku, z głową pełną terminów: pośpiech, zmęczenie, deszcz.

Tutaj, w ósmym miesiącu ciąży, przygotowywano się już do Bożego Narodzenia, handlowego, opartego na motywach religijnych święta. Banki kusiły ułamkami procentów, na każdym rogu czyhały na ofiarodawców prezenty. Na grubych rolach papieru jeździły w kółko sanie, nic dziwnego, bo woźnica wysiadł i w witrynie sklepu, w przebraniu Mikołaja, na elektrycznym trapezie ćwiczył przerastającą go olbrzymkę, na chwilę zawisał w górze i potem bez sił opadał, machając pozbawionymi ścięgien nogami. Na rozłożystym klonie pośrodku placu rozwieszono żarówki, od zmroku do północy naświetlające jego rakowatą narośl.

Sklepy wyłaniały się z gąszczu ocieplających je gałęzi świerku, przestawiwszy się na sprzedaż grzybów, jagód, ziół, które zastąpią musujące w aptece antybiotyki. Zdezorientowane wróble zrywały się co chwila do lotu, nie mogąc sobie znaleźć miejsca: las wstąpił do miasta, gdzie się skryć przed nocą?

Nie mieliśmy pieniędzy, korespondenci nie reagowali na nasze energicznie ponawiane wezwania do zapłaty; wydziedziczeni z dawno zaciągniętych pożyczek – nie starczało nam nawet na spłatę procentów i wcale o to nie prosząc, pożyczaliśmy wciąż więcej i więcej. Nasze karty kredytowe wchodziły co prawda jeszcze w otwór automatu, ale ten cierpliwie tłumaczył, że najpierw należy wpłacić. Wystraszeni żądaną od nas zaledwie połową ceny, z przerażeniem myśleliśmy o całej.

Rozpoczął się sezon koncertów, kolacji, balów, które podawały sobie pałeczkę, smyczek, łyżkę na bieżni tego samego, moc wrażeń, wieczoru. Naszym kursom także udzieliło się to podniecenie, przygotowywaliśmy się do świątecznej przerwy.

Kucharze zsunęli stoły, łącząc je w jeden ogromny półmisek, wypełniony po brzegi przykładami potraw. Piekarze upiekli wielki łamliwy arkusz opłatka. Cudzoziemcy zespawali żłobek i teraz uczyli się nad nim pieśni, akcentem podkreślając pochodzenie święta. Recepcjoniści przyjmowali nas serdeczniej niż zwykle. Informatorzy głosili dobrą nowinę. I nawet w korespondencji handlowej górę wzięły odświętne formuły, w których dyrekcja składa co należy swym pracownikom i PT klientom.

Stewardesa nie pojawiła się już po świątecznej przerwie. Nie wiem dokąd. Kiedy wysłałem jej nowe wzory listów, powróciły po kilku dniach nieotwarte, niewypełnione treścią, ze złowróżbną pieczątką: adresat przestał istnieć. Panie, nie jesteś godzien, aby gładzić grzechy świata.

Pies, niecierpliwa suka, którą trzeba wciąż od nowa oprowadzać po mieście, mimo że widziała już właściwie wszystko, park, ogród botaniczny, rynek i uniwersytet – ale nawet ten jej niczego nie nauczył. Przemądrzały kot, oddalający się na kilka nocy, żeby potem miauczeć pod drzwiami, nad ranem, jakby upolował koguta. Papuga śledząca przez okno lot kuzyna wróbla. Tanie chomiki biegające po swych niekończących się drabinkach, *perpetuum mobile*. Chłodne ryby w zielonych wodach akwarium. Śpiące węże, czuwające jaszczurki. Martwe, chitynowe muchy.

Wyciągnięto ostatnie żaglówki na brzeg i wiatr przenosił się z miejsca na miejsce, nie mogąc znaleźć sobie oparcia w żaglach. Fale waliły pokotem, jedna za drugą, coraz silniej uderzając o piach i odsłaniając w nim niezniszczalne papiery od lodów, archeologię lata. Najgorsza wydawała się zmienność kierunków. Stare drzewa w nadmorskim parku, od lat nachylające się w stronę lądu, łamały się, zdradziecko uderzane od północy.

Następcy, którzy poszli w nasze, pozostawione na wodzie, ślady, nie mieli łatwego zadania. Na granicy wód terytorialnych spuszczano ich teraz w gumowe sześciokątne tratwy z rozpiętym na podobieństwo namiotu cyrkowego baldachimem, zasłaniającym obraz Théodore'a Géricaulta. Dryfowali do świtu, zbyt przypominający boje, aby mogło się na nich zaczepić oko radaru. Nie było winnych. Przejażdżki na gumowych pontonach nie są jeszcze zabronione. Przez cieśninę sunęły jeden za drugim drobnicowce. Cyrk przyjechał.

W łotewskim porcie odkryto podziemne obozowisko czekających na transport pasażerów. W serii telewizyjnych reportaży o katastrofach pokazano kilka wywiadów stamtąd. – Słyszeliśmy, że macie niezaludnione tereny – mówili łamaną angielszczyzną konkwistadorzy.

Któregoś ranka na wysokości Sandö dostrzeżono pustą, dryfującą dnem do góry tratwę: cyrk, który stanął na głowie. Po kilku dniach, kiedy morze się uspokoiło, wysłano w to miejsce kuter straży przybrzeżnej z delegacją żałobników na pokładzie. Po krótkiej ceremonii ksiądz pokropił morze.

Deszcze nie ustawały od wielu tygodni, plantatorzy ziemniaków łowili ostrygi. Mój samochód rdzewiał cierpliwie, poddając się ogólnej zmianie barw. Z odrętwienia miały nas wyrwać zbliżające się wybory, których reklamy na kilka tygodni zastąpiły tradycyjne obwieszczenia o wyprzedaży nadwyżek towarowych. Politycy odprowadzali nas wzrokiem z lekkim, wynikającym z przesunięcia afiszów astygmatyzmem. Powiedz tak, powiedz nie, bądź solidarny, ale bądź też sobą.

Wyparte z reklamowych paneli produkty nie dawały jednak za wygraną i, w pojemnych gazetach, naśladowały retorykę:

– Będziesz wybierał – wybierz margarynę. – Proszek C – partia o czystych rękach. – Pewnie do Europy w butach Wagabundy. Udzieliła się ona nawet zupełnie prywatnym ogłoszeniodawcom: – Głosuj na czterdziestoletniego blondyna bez nałogów – wzywał samozwańczy kandydat w krótkiej niedzielnej odezwie, w rubryce: towarzyskie.

Chodziłem od wiecu na wiec, gdzie pod parasolem w partyjnych barwach mówcy zmagali się z problemami deficytu budżetowego, bezrobocia, za wysokich i za niskich podatków, zanieczyszczenia, przestępczości, za starych emerytur i za krótko płatnego dzieciństwa. W strugach deszczu wszyscy obiecywali lepszą pogodę, pod warunkiem pewnych koniecznych wyrzeczeń.

Niestety, nie wydawałem się ich wdzięcznym słuchaczem: czego miałbym się wyrzekać? Stałem jednak wytrwale w grupce emerytów i odgadywałem końcówki rozmiękczane przez deszcz. Nie było to trudne, bo słowa występowały tylko w liczbie mnogiej, *pluralis promissionis*, a ilość wariantów macie w tej kwestii bardzo ograniczoną, *-ar*, *-or*, *-en* albo fleksyjne zero.

Nie chcecie mnie słuchać, a jednak raz na kilka lat wszyscy domagacie się mojego głosu, nawet ci, którzy zaraz potem zechcą mi go odebrać. Proszę bardzo: czy będziecie transkrybować?

Kiedy przestawało padać – na chwilę, aby zaczerpnąć oddechu, wody – natychmiast podnosiła się wilgotna mgła i kolejny mówca stawał w niej po kolana, jak artysta estradowy wśród efektów specjalnych, tylko patrzeć, a na scenę wysypią się lekko ubrane piosenkarki i dotykając się policzkami przy wspólnym mikrofonie, dołączą do refrenu, że choć szkoda, nie żal.

Debata zataczała coraz szersze kręgi. Partia zielonych wydzierżawiła od kolei pas ziemi przy torach i co kilka kilometrów ustawiała wielkie ryciny z zagrożonymi gatunkami roślin, sugerując, że pociąg przecina rezerwat przyrody. Partia chłopów, przeciwnie, wchodziła do miasta, zaprzęgając do kampanii parę wołów, ciągnących załadowany manifestem wóz.

Partia kobiet rozdawała mężczyznom nadmuchane balony prezerwatyw. Partia przeciwników wyborów rozpowszechniała białe puste karty do niegłosowania. Konserwatyści obdarowywali przechodniów niebieskimi ręcznikami z żółtym emblematem partyjnym. Radykałowie częstowali długopisami i podsuwali listy proskrypcyjne. Przyjaciele piwa instalowali na mównicach kurki i ustawiali plastikowe kufle z nadrukiem: nie samą pianą. Wieczorem dzwonił do mnie instytut badania opinii z prośbą o brakujący promil przedwyborczych prognoz. Odmawiałem odpowiedzi, ponieważ nie czuję się reprezentatywną próbką.

Dwa ugrupowania postanowiły zważyć siłę swych argumentów w bezpośrednim starciu. Nacjonaliści, prosto od fryzjera, zebrali się w górnej części miasta pod pomnikiem dziewiętnastowiecznego poety, który bez entuzjazmu patronował im z cokołu, zwrócony jednak twarzą na południe, gdzie o pięćset metrów dalej gromadzili się internacjonaliści. Decyzja nie była łatwa, bo na szali z jednej strony należało położyć zbiór poematów *Znad pól* dający podwaliny narodowej tożsamości, z drugiej natomiast pośmiertnie wydany epos *Trawa*, pozbawiony zakończenia, ale i bez niego będący dostatecznym dowodem na wrażliwość w kwestii społecznej.

Obydwa ugrupowania spierały się zatem o wysoki, poetycki patronat, obydwa dysponowały swoją garścią cytatów. Nacjonaliści pragnęli przemaszerować przez centrum z góry na dół i pod baldachimem na rynku zakończyć uroczystość odśpiewaniem hymnu: skąd ród, gdzie ojców narodowe plemię. Internacjonaliści, wspomagani jak na nich przystało przez delegacje z krajów ościennych, chcieli przeciwnie – zacząć od rynku, przejść pod pomnik i tam utworzyć wielki trzymający się za ręce krąg: ziemi kolisko. Między dwiema grupami, na trasie przemarszu ustawiła się neutralna, kierująca ruchem policja.

Nie wiadomo, kto pierwszy rzucił kamieniem, niewykluczone, że poderwał się sam. Za pierwszym poleciał drugi i dziesiąty, jakby rozgorzał spór o to, czy powiedzenie kamień na kamieniu jest celtyckiego, czy jeszcze indoeuropejskiego pochodzenia. Internacjonaliści, mający za sobą długą tradycję barykad, zaczęli rozbierać bruk.

Pod koniec lata wszystkie uliczki starego miasta wybrukowano od nowa granitową kostką. Przez cały sierpień rozlegał się monotonny stukot, modlitwa klęczących kamieniarzy. Piasek, który nie wszystek zmieścił się w spoinach, osiadał na rozgrzanych parapetach: plaża. Przejścia dla pieszych zaznaczono białą marmurową kostką z Włoch. To ona właśnie ustępowała teraz najłatwiej: faszyzm nie przejdzie.

Czy czujemy się winni? Tak, oczywiście. To w końcu o nas poszło, to my jesteśmy tą różnicą zdań, zarzewiem konfliktu. To my w was rozbudzamy poetycką wenę. Na naszą obronę muszę dodać, że wywołujemy też spory w innych miejscach świata. Dzięki temu możecie wysyłać tam swoje niebieskie berety obserwatorów i białe kaski piekarzy pokoju.

Po kilku miesiącach zamarzającego deszczu ogłoszono wreszcie wiosnę, nieco przedwcześnie, bo lód ustępował tylko w południowym słońcu, a zaraz po zmroku powracał do kałuży i ścinał ją, niepewną – wsiąkać czy parować.

Znowu przesuwano zegarki, oddając skonfiskowaną na jesieni godzinę, w środku nocy, tak aby nikt jej nie zobaczył. Wracały ptaki, frazeologiczne jaskółki wciąż niemogące się zatrzymać po długim locie. Otwierano ocieplane okna i wywieszano w nich białe sztandary kołder, kapitulację ogrzewania. Tylko trawniki leżały nadal bez ruchu, obojętne, choć to przez nie właśnie przechodziła niepewna granica, wraz z cieniem od wysokiej ściany kurcząca się strefa siwizny, zastygłych popiołów, mrozu.

Niewykluczone, że pod wpływem ogólnego przywracania życiu ogłoszono amnestię dla ukrywających się. Wszyscy, którym udało się pod ziemią przetrzymać dwie ostatnie zimy, otrzymają pozwolenie udania się na powierzchnię, ku światłu. (Świstak, *Marmota marmota*, gryzoń o puszystym ogonie, żyje w górach, ale opuszcza się w nory, niełatwo go dostrzec, mimo że lubi łączyć się w kolonie).

Niektórych odesłano w ostatniej chwili, spóźnili się o kilka tygodni, rzecz w tym, aby mieć wyczucie czasu, kto go nie ma, nie może także swobodnie poruszać się w przestrzeni.

N., którego obejmowała amnestia, uparł się, że nie wyjdzie. Będzie już zawsze mieszkał w jednym pokoju na przedmieściu, z zapasem jogurtu i mleka, książek i nawet gazet. Będzie nielegalnie odprowadzał swoje nieczystości do komunalnej oczyszczalni ścieków, czytał zabronione doniesienia z kraju i poprzez tajnych wysłanników grał na wyścigach konnych – na dobrą sprawę należałoby w tych gonitwach skreślić komplet koni.

O zmierzchu będzie wychodził na spacer, szybkim krokiem pokonywał dzielący go od lasu odcinek drogi, znikał za drzewami, pół godziny potem wyłaniał się od strony wymarłych garaży, wracał, zanikał.

Raz na tydzień będziemy go zabierać na wspólną kolację do tych, co postanowili się ujawnić i chcą go teraz ostrożnie przeciągnąć na jasną, wypukłą stronę, opowiadając o upajającym uczuciu własności, linii telefonicznej pod swoim, nieznacznie przekręconym nazwiskiem, dokumentach gwarantujących prawdziwą tożsamość, o prawie nic niekosztujących, wydrukowanych w ustawionym na poczcie automacie wizytówkach z adresem i numerem kodu.

Istnieć, dotykając skóry przedmiotów, brać do ręki chłodne owoce usypane w pryzmy na drewnianych straganach, otwierać i zamykać drzwi, wydające lekkie, zawsze w tym samym miejscu, skrzypnięcie, studiować wyłożone u szewca na wystawie igły, smukłe cyklopy, i ciągnące się za nimi nici, dratwy i rzemyki; iść ulicą, patrzeć w nadchodzące z naprzeciwka twarze, kosmetyki, wygładzić fałdę, pogłaskać sierść. Zatrzymać się tam, gdzie zziębnięty akordeonista przetacza powietrze, rozkładając i zwierając ramiona powoli, tak by muzyka miała czas wyswobodzić się z jego objęć. Słuchać, patrzeć, widzieć, co w trawie błyszczy.

Nie wyjdzie. Zapuści brodę, będzie jadł coraz starszy chleb, zakładający w niej gniazda swych okruchów. Będzie nasłuchiwał wyników z głośno nastawionego u niczego niepodejrzewających sąsiadów telewizora. Przemknie się przez tunel przedpokoju i podniesie, wrzuconą przez skrzynkę kontaktową, reklamę ostatniego wydania encyklopedii: przez ciekawość do wiedzy. Piekło, wiedza. Popatrzy na balkon, gdzie ktoś zostawił zapakowane w plastikowy worek cztery kilo ziemi. Zaparzy jeszcze jedną herbatę. Podejdzie do okna: rosną drzewa.

Istnieć, zmieszać się z wysiadającym z pociągu tłumem, iść do punktu B, do celu. Zatrzymać się na ledwie zaludnionym przystanku, czekać, patrzeć, jak rodzi się solidarność tych, co spóźnili się na poprzedni autobus. Podać banknot i otrzymać zasłużoną, dokładnie odliczoną resztę, dziękuję, to wszystko. Mocno przycisnąć długopis, wypełniając formularz, tak by nawet na trzecim arkuszu odcisnął się podpis, ślad obecności, prawda, honor i sumienie.

Nie ujawni się, nie będzie deklarował lojalności, czarnych jak noc pieniędzy. Stać go jeszcze na opłacenie elektryczności, zużywa jej zresztą coraz mniej, siedząc w ciemnościach i obserwując tylko światła znikających w oddali na jednokierunkowej ulicy samochodów, mocniejszy błysk czerwonego, gdy hamują przed ostatnim zakrętem, uwaga, prosta, odjazd. Będzie prowadził rachubę czasu – cztery pionowe kreski i piąta przekreślająca je ukośna – i zapisywany o świcie dziennik nieobecności: kurczą się zapasy mąki, komplet gazet z zeszłego miesiąca przeczytany do wyłowionej deski, na kuchence rozniecony ogień, dobra widoczność, żadnych żagli na horyzoncie, a potem znów ogarniająca wszystko mgła.

Istnieć, oddychać. Trzeba będzie zarządzić chwilową ewakuację, bo w całym pionie mieszkań wymieniają przewody wentylacyjne i nie wiadomo, kto kryje się pod niebieskim kombinezonem instalatora. Więc jednak oddychamy tym samym powietrzem.

Zmieniłem kierunek swoich codziennych spacerów. Szedłem teraz na południe, od centrum w stronę zamożniejszych przedmieść z ogrodami i ciągnącym się wzdłuż nich parkiem, co chwila przeskakującym przez niskie ogrodzenia, zapuszczającym do nich swoje ekspansywne krzewy i zarastającym publiczną trawą prywatne posiadłości.

Na wykrojonym w kształt ósemki stawie pływały ostatnie płatki lodu, tak cienkie, że nawet nic nieważące wróble bały się na nich przysiąść. W ogrodach pośród starej, zeszłorocznej, pociemniałej od starości zieleni można było wyraźnie odróżnić starannie uprane plamy nowej, jasnej, jeśli ma być zielone, to tylko *via april*.

Mijali mnie wielokrotnie ci sami niestrudzeni biegacze obnoszący w koło tę samą muzykę zamkniętą w małych pudełkach magnetofonów. Psy rozwijały kołowrotki smyczy, łowiąc bijące od ziemi odtajałe zapachy. Dzieci wyswobadzały się ze skafandrów i testowały na huśtawkach siłę grawitacji: zostaną, nie odlecą. Wkrótce miałem być zaproszony do jednego z domów.

Róże, rozwinięte, wyprzedzające o kilka tygodni wegetację tych, które pani domu hodowała przy ganku. Butelka niepewnego, czy trafi w odpowiednie mięso, wina.

Wycieraczka łasząca się do moich butów, odbijające kołnierze lustro, grubo odziany wieszak. Uściski dłoni, krótkie, męskie, stanowcze, jakby chwytać kolbę, i miękkie, kobiece, wątłe jak zdjęta, szukająca dłoni rękawiczka. Orzeszki ziemne pozwalające na wymianę wstępnych uwag, przełykanie, sól. Alkohol podnoszący zgiełk, zataczające koło toasty i repliki przecinające owal stołu na nierówne kliny tortu, jeszcze zanim podano deser. Dawne podróże opowiadane z nową pasją, jakby bilet cały czas był ważny, tam, z powrotem i z powrotem tam. Pokazywane widelcem widoki. Kawa, herbata, rozpuszczalność cukru.

Dzieci, skrzypce piętnastoletniej Anny i rakieta tenisowa jej starszego o rok brata. Kolekcje znaczków, które już nigdzie nie pojadą. Książki, ustawione według wzrostu, tak że rymy przedostają się do prozy, a wyssane z palca perypetie sąsiadują z o wiele mniej prawdopodobnie wyglądającymi okładkami faktów.

Posłuszne płyty, zawracające na skinienie palcem celującym we wzniesioną w kącie wieżę Babel. Przeboje, które objechałyby świat dokoła, a wciąż kręcą się w miejscu z tym samym nieśmiertelnym taktem trąbki. Gruby blat stołu mogący unieść nie wiedzieć jaki ciężar, podczas gdy stoi tam tylko jeden przesadnie rozłożysty świecznik baobab. Białe pianino z rozłożonymi na nim paskami nut, ślady opon na śniegu, podróż zimowa.

Palacze wyszli na taras i ustawili się na trasie lotu robaczków świętojańskich. Wszyscy palą, ale na ten czas wychodzą, aby sobie nawzajem nie szkodzić.

Męskie rozmowy, krótkie wieczorne sojusze, wykrzykniki śmiechu. Kobiece rozmowy, włosy, tkaniny. Nachylające się do ucha ciche konfidencje. Niepewny zarys flirtu na tle drzwi do ogrodu. Już jakiś czas temu przeszliśmy do salonu: na starą twardą sofę z niemającym wyjścia labiryntem wzoru i dostawione do niej nowe fotele, z których pod okupacją ciała nie sposób było powstać. Czekoladki, prążkowane muszelki z białymi zaciekami, i zatykający oddech koniak. Na pękatych kieliszkach odciski chwytnych palców.

Późno, światło na ganku i rozbierany do snu wieszak. Noc, zagadka nocy. Wracałem przez rozżarzony park, w szerokich oknach parteru wyświetlano ten sam diapozytyw w ciepłych barwach. Pianino, czekoladki, koniak. Kominki dogasały, studząc popiół rozmów. W ogrodzie kos przygotowywał już poranną arię, biegnąc za kulisami krzaków, by w nich zostawić tremę.

Nowym środkiem wyrazu stało się rozbijanie szyb w naszych sklepach spożywczych. Chciano uwolnić spiętrzone na półkach w ciasnych rzędach butelki z olejem i octem, wypuścić ze skrzyń owoce, dać się wykluć jajkom. Na M., gdzie sklepy zadomowiły się na dobre i w godzinach handlowych ulica przybierała postać rozciągniętego targu, z wystawianymi na zewnątrz workami ryżu i kaszy, ladami, straganami, kulami kapusty – urządziliśmy regularne dyżury, otwartą na okrągło izbę przyjęć, zapraszamy. Całą dobę czynne były przynajmniej dwa sklepy z silną męską obsługą. Obroty się zwiększały, ogórki, które rosną tylko w nocy, prężyły się w świetle księżyca, blada, chowana w ciemności endywia mogła bez lęku się ujawnić, żyć.

Nie zadowalało to bojowników o wolność octu, przenieśli się do innych dzielnic, gdzie nasze sklepy są rzadkością, ledwie wystają spoza budek z czerwoną *pölse* lizać kiełbasą i obwoźnych konfesjonałów loterii, na których można wylosować wędzonego węgorza: on już przegrał, teraz twoja kolej. Tam ulice pustoszeją zaraz po zamknięciu i gdyby nie włączający się niekiedy alarm, nikt by nie spostrzegł, że okno przestaje istnieć, daleki odgłos rozbijanego szkła, stłuczka, ocet na wolności.

Przyjeżdżali dyżurni szklarze i łatali witryny, odejmując co ostrzejsze kawałki i opasując dziury wężykiem silnego kleju. Akcjom towarzyszyły telefony rewindykacyjne, niekiedy dwie różne grupy brały na siebie odpowiedzialność i solidarnie dzieliły się sławą. Towarzystwo ubezpieczeniowe zaczynało się niecierpliwić, podnosząc składki i grożąc zawieszeniem rekompensat, nikt samobójcy nie będzie ubezpieczał na życie.

Któregoś razu dzięki naszemu informatorowi – radykał, niemogący się zdecydować, na którym krańcu stanąć – dowiedzieliśmy się o planowanej na piątek wieczór akcji. Stłoczyliśmy się na zapleczu wśród worków z ryżem jak w okopach, oddzieleni od ulicy cienkim paskiem weneckiego lustra, częściowo zaklejonego wyciętymi z samoprzylepnej folii liczebnikami cen. Czterech karbonariuszy wchłaniających zapach sezamu, lekko już przejrzałych bananów, herbaty, muszkatu i suszonych fig.

Lustro wmontowane było zamiast szyby po lewej stronie drzwi, aby zasłaniać nieprzeznaczoną dla oczu klientów część wnętrza, sięgające sufitu półki podręcznej hurtowni. W równej fasadzie sklepu wycięto niewielki, zapraszający do środka uskok i lustro nachylało się tu lekko w stronę oświetlonej witryny, odsłaniając przed nami widownię trotuaru, obserwatorów wystaw pod naszą obserwacją.

Zgasiliśmy światło i poczułem się jak przestępca, uczucie nieomylnie pojawiające się wtedy, gdy wywołujemy ciemność, a nie zamierzamy wcale iść spać. Było dopiero po szóstej i ulicą sunął przerywany pochód przechodniów, na trzy osoby idące od prawej do lewej przypadała jedna w przeciwnym kierunku, przeciwprąd, mienszewicy. Czasami przemknął nie całkiem mieszczący się w wąskim oknie rower, z ramą podkreślającą nasz cennik na szybie. Przejechał szeroki wózek z bliźniakami (chłopcy), uwożąc je w nieznaną przyszłość (która ich poróżni). Potem zrobiło się pusto i bezludnie, wszyscy wrócili do domów i poczuliśmy się opuszczeni, zdradzeni, spiskowcy pozbawieni wsparcia w masach.

Pierwsze wracały psy. Przekreślając smyczą dolny róg i podtykając nos pod szybę, sprowadzały swoich właścicieli starających się odciągnąć je ku ciekawszym, choć mniej pachnącym witrynom. Wkrótce bolszewicy zaczęli przechodzić na stronę mienszewików i teraz szli od lewej do prawej, kontrrewolucja przybierała na sile z każdym kwadransem. Jakaś niespieszna, niepewna, do którego przyłączyć się frontu, para stanęła przed oknem i zaczęła się całować, wyobraźmy sobie, że zwycięża miłość. Pokłonił się przed nami młody językoznawca i studiował niełaciński, zakręcający na puszce z karczochami alfabet. Grupa chłopców przebiegła całą szerokością ulicy, kopiąc plastikową zwrotną butelkę. Dziewczyna o białych policzkach nachyliła się nade mną, jakby chciała pocałować mnie w czoło, ale ucałowała tylko swój makijaż, ściskając usta w równą kreskę – myślnik.

Po przeciwnej stronie widzieliśmy kawałek sklepu wynajmującego ogromne telewizory i mocną nicią wielomiesięcznego kontraktu zacieśniającego więź społeczną. – Dopóki nie kupiłeś, jesteś wolnym człowiekiem, łowiekiem, wiekiem – obracała się zawieszona nad ekranami tekturka. Oparty o worek z ryżem, czułem chrzęst przesuwających się wzdłuż kręgosłupa ziarenek: wyzwolenie, wynajem ryżu. Co jakiś czas przykładałem do oka trzymany w pogotowiu aparat fotograficzny i sprawdzałem ostrość spóźniającego się motywu.

Było już dobrze po północy i niektóre ekrany telewizorów skończyły program, a zaczęły wyświetlać mrok, ryż, kaszę – proponując nam obejmujące obie strony ulicy konsorcjum towarów sypkich. Coraz rzadsi przechodnie przesuwali się raz w lewo, raz w prawo, bez dających się uchwycić proporcji, niedobitki dwóch przegranych frontów. Ta sama dziewczyna, która przed kilku godzinami skłonna była mnie całować, przeszła, nie odwróciwszy głowy w naszą stronę, ze startym makijażem: pobladły jej usta, ale policzki zrobiły się dla odmiany naturalnie czerwone. Niektórzy wracali, inni zaginęli bez wieści, wybierając taksówkę albo sąsiednią, równoległą ulicę. Po śladach swojego moczu wracały okrężne psy.

Odpędzaliśmy senność, żując suszone owoce, zgniecione figi i delikatne, zachowujące młodość morele.

Świtało, zgasły latarnie i wraz z nimi metaliczny blask wilgotnego bruku. Monotonnie pracujący wentylator wpuszczał strumień chłodniejszego porannego powietrza, jakby pozazdrościł zataczającemu wolniejsze koła zegarowi i chciał także określać pory dnia i nocy.

Nie wiem, czy wskutek naszego zaciemnienia, ale nalot nie nastąpił i alarm odwołano. Nie przyszli. Nie uderzyli, nie posypało się szkło. Nie rozległ się tupot butów, trzaśnięcie drzwiczek i wycie silnika zapuszczanego na zbyt wysokich obrotach. Gazeta nie zamieściła naszych niewywołanych zdjęć. Znowu poczuliśmy się oszukani i zdradzeni. Opuszczeni i zdani na własne, słabnące siły. Nie jesteśmy sklepem samoobsługowym, nie będziemy sami sobie wybijać szyb.

Moja cierpliwa entomologiczna obserwacja domu naprzeciw zaczęła przynosić efekty. Uśmiechnęła się do mnie spotkana przypadkiem w bibliotece dziewczyna z trzeciego piętra. Wymieniliśmy uwagi na temat podlewania kwiatków, nie za dużo, ale jednak tak, by zawsze ziemia była wilgotna. Właściciel psa z parteru zdradził mi pilnie strzeżoną tajemnicę: to mieszaniec. Wygląda jak czysta rasa, ale jest mieszańcem, dlatego nigdy nie doczekał się potomstwa, nie ma gorszych rasistów niż rasiści psi, jak myślę, skąd pochodzi słowo rasizm. Typowe dla mieszańców kłopoty z sierścią, łupież i wypadające włosy, są wszędzie, w piekarniku i w zamrażarce, aż strach otwierać hermetycznie zapakowane jogurty i masło. Zapchały cuchnący jak w psiarni odkurzacz i łączą się już w zgrupowania na klatce schodowej.

Któregoś dnia znalazłem w skrzynce kopertę bez znaczka. Odkąd płacę rachunki przelewem, tak że pieniądze wpływają na jedno i od razu odpływają na inne konto (czy to macie na myśli, mówiąc: przepływ gotówki?), przestała do mnie przychodzić jakakolwiek korespondencja, tylko stosy reklam i hojne oferty instytutów finansowych, odrzucane bez otwierania.

W pierwszej chwili myślałem, że to jeszcze jedna, materiał do produkcji nowego, przez chwilę czystego papieru.

Pisała studentka z pierwszego, najlepiej widocznego piętra naprzeciw, właścicielka okiennego globusa, podświetlającego zawsze niewłaściwą półkulę. Obudził ciekawość mój ustawiony plecami do niej muzealny komputer z naklejonymi na tylnej ściance ostrzeżeniami przed prądem, napięciem, jakie przebiegnie przez powieść, jeśli ją napisać.

Studiowała teologię. *Colloquia*, przepytywanie Boga, który nie dalej jak wczoraj próbował udowodnić jej swoje nieistnienie. Jadąc na wykład rowerem, wpadła na kilkuletnie dziecko i poturbowała je solidnie. Wybiegło nagle spomiędzy zaparkowanych wzdłuż stromej uliczki samochodów, tak że nie zdążyła nawet nacisnąć na hamulec.

Piła herbatę i kiedy podnosiła kubek, pod bandażem na prawej dłoni widać było czarną plamkę krwi: dotknij, uwierzysz.

Wprowadziła się zeszłego lata, tak upalnego, że nie oziębiały go nawet wnętrza starych mieszkań, z których wypuszczano powietrze, otwierając na oścież okna i drzwi na balkon. Przez cały lipiec odgrywała na szerokość ulicy koncert swoich płyt, włączając niekiedy w gramofonie tę barbarzyńską dodatkową funkcję, która burzy ustaloną kompozycję i każe zakończeniom wybiegać przed wstępy. Tak, rozpoznawałem niektóre utwory, figurują także w swoich zbiorach, ale nie ma większej przyjemności niż słuchanie płyt, które puszczają na nas sąsiedzi, a kiedy zdarzy się, że w radiu grają to, co odtwarzamy przez gramofon, gasimy go w pośpiechu i odnajdujemy falę, aby czym prędzej włączyć się w wielką powietrzną wspólnotę muzyki, drgania.

Wasze nadające zza węgła lokalne rozgłośnie, niekiedy wydaje się, że spiker stoi w przedpokoju. Bliżej, coraz bliżej. Gołoledź na sąsiedniej ulicy, łącząca nas wszystkich spójną warstewką lodu. Deszcz, schowajmy się pod parasolem. Program kina za rogiem i odczyt w sali ratusza, którego iglica wystaje nad garażem. Piosenki z obejmującym nas wszystkich refrenem. Konkursy – dzielimy się wiedzą i z ust sobie wyjmujemy prawidłową odpowiedź: wygraliśmy, *victoria*, dostaniemy bliski ciała podkoszulek. Wywiady, wywiady – jakbyś słyszał swój głos wewnętrzny.

Anna także słuchała radia, w odległości kilku herców ode mnie, i piosenki wpadały sobie w słowo, jak śpiewający na dwa głosy chórek. – Widziałam, że mnie obserwujesz – mówiła – któregoś wieczoru, kiedy zapaliłam światło, ty je zgasiłeś, a kiedy po chwili ja zgasiłam, u ciebie znów się zapaliło, jakby połączył nas czuły na różnice temperatur bimetal. Na początku to było irytujące, siedziałam przy biurku i czułam, jak twój wzrok ślizga się po zeszycie, nie mogłam sobie pozwolić na błędy, wtręty nie na temat, pierwsza odpowiedź się liczy, konkurs, w którym pisane przez zawodnika elektronicznym piórem słowo ukazuje się na ekranie, oczom publiczności, pełznie, wyolbrzymiając wady kaligrafii. Gryzłam ołówek i obracałam globus, coraz szybciej, aż kontynenty zlały się w jedną żółtą smugę. Potem jakoś przywykłam i w poszarpanych dialogami powieściach pozwalałam ci czytać niektóre kwestie przez

145

ramię. Podnosiłam szklankę i słyszałam lekkie brzęknięcie toastu, cichą skargę. Zaczęłam nawet hojniej napełniać czajnik, tak by starczyło na dwie herbaty. Rozpoznawałam twój rower i jechałam po jego niewidocznym śladzie, narażając się na krawężniki. Wracałam, otwierałam drzwi i podnosiłam z progu listy, które w torbie listonosza lizały znaczki adresowane do ciebie.

Kiedy nastały październikowe mrozy, a ja przyzwyczajony do dawnego nazewnictwa miesięcy uparcie zostawiałem uchylone okno, zakładała grubszy sweter i dodatkową parę skarpet. Zmieniała kąt nachylenia żaluzji i zwykła nocna lampka biegła po nich do góry niby reflektor szukający na suficie samolotów wroga. W soboty wychodziła z grupą przyjaciół do podchmielonych klubów studenckich. Zbierali się zwykle u niej, parę godzin przed czasem, i wspólnymi siłami przygotowywali przystawki, ciekła mi ślina, gdy gnietli cytrynę nad zwiniętymi w kłębek śpiącymi krewetkami. Rzucali żartami, a ja czułem się zagubiony, jakbym nagle wbiegł na lód pomiędzy grających hokeistów. Wtedy litowała się nade mną i zaciągała jasną zasłonę, za którą hokeiści nadal odgrywali swój teatr cieni, ale nikt już nie oczekiwał, że ja przechwycę krążek.

Znała mój rozkład zajęć i cierpliwie czekała z kolacją, gdy spóźniałem się zatrzymany w drodze niecierpiącymi zwłoki sprawami. Któregoś dnia wyjechałem bez uprzedzenia, zostawiając na parkingu zawsze wilgotną plamę oleju, a w oknie wstawione do miski z wodą kwiatki. Przez kilka dni spała sama, bardziej niż zazwyczaj wyczulona na szuranie sąsiadów, trzaskanie drzwiczek i chrzęst żwiru, jakim wysypane są ścieżki między domami. Raz poderwała się nawet, sądząc, że rozpoznaje znajomą modulację silnika, ale był to fałszywy alarm i zobaczyła tylko migającego na nią czerwonym światłem dalekiego kuzyna z rodziny Dopplera, to z pewnością nikt z mojej, będącej na wymarciu.

Zniecierpliwiona, weszła na naszą klatkę, ukłoniła się schodzącej z piętra powyżej starszej pani i widząc sterczący w skrzynce na listy kikut gazety z niepotrzebnie gorączkowymi doniesieniami z nieostatniej chwili, upewniła się, że mnie nadal nie ma. Zanotowała dwuczęściowe nazwisko i nieco niepewna, nie wiedząc, pod którą literą szukać, odnalazła numer telefonu, tak, adres się zgadzał. Przez chwilę się wahała, a potem zadzwoniła. Włączył się mój zastawiony na pomyłki automat, wiele razy słuchałem jej nagranego na taśmę oddechu, gdybym był lekarzem, mógłbym postawić diagnozę. Migające na telefonie czerwone światełko, oznaczające zarejestrowany oddech, nie było w stanie rozświetlić mroków mojego mieszkania.

Wróciłem wreszcie po tygodniu, kilka minut wcześniej niż sądziła, bo siedziałem jeszcze przez chwilę w ciemności, obserwując zmiany, jakie zaszły podczas mej nieobecności, wyrośnięte kwiatki, na lodówce w mieszkaniu nad nią grubsze niż przed wyjazdem pliki rachunków (rachunki zimą: zimna kalkulacja), ledwie już trzymające się na słabnącym magnesie, kilka nowych tytułów wstawionych na półkę u kolekcjonera z klubu „Przyjaciół książki".

Uczciliśmy mój powrót dwiema flaszkami wina, ja piłem białe, do ryby, którą przyrządziła w sosie cytrynowym, a ona otworzyła butelkę bordeaux pod kolor moich krwistych befsztyków z polędwicy wołowej. (Chciałbym nadmienić prawem sprostowania: po polsku *blodröd* to nie znaczy „krwisty").

Znów mijały tygodnie niczym niezmąconej wspólnoty, staraliśmy się trzymać ustalonych pór posiłków, niekiedy wypadł nam jakiś obiad poza domem, ale nawet wtedy wracaliśmy na wieczorną herbatę parzoną w uświęconym tradycją czajniczku. Czasem ja gasiłem wcześniej, jeszcze przed północą, zmęczony popołudniowymi kursami, z rozgadanym słownikiem do poduszki. Czasem to ona zaciągała żaluzje na moich oczach, zawsze we wtorki, bo w środę ja pracowałem tylko po południu, a jej wypadały ranne ćwiczenia z biblistyki. Zacząłem się zastanawiać nad prawem do wspólnoty majątkowej, czułem się, prawdę mówiąc, właścicielem tej połowy rudawego obrazu, którą widać było na ścianie w przedpokoju: chłopiec rzuca lekko spłaszczoną piłką, śledziłem jej lot, choć nie znałem ukrytego za framugą celu.

Czułem wyraźne poirytowanie, drzazgę, kiedy któryś z piątkowych gości przesunął nieco obraz i ten przez kilka dni odcinał się na ścianie krzywą linią, a chłopiec brał tym razem większy zamach, jakby chciał rzucić piłkę do sąsiadów z prawej. Potem i Anna dostrzegła tę krzywiznę, widziałem, jak cofa się do pokoju, przekrzywia głowę, aby ocenić nachylenie, podchodzi znów do płótna, opiera rękę o ramę i – tak, centymetr wyżej – wszystko wraca do siebie, utraconej przed kilku dniami równowagi.

Z drugiej strony, z drugiej strony ulicy nie miałem nic przeciwko temu, by uczynić ją dysponentem europejskiej części mojego księgozbioru, zacząłem przestawiać książki tak, aby czytelne grzbiety były widoczne przez okno, i co kilka dni odstawiałem tytuły przeczytane, a dostawiałem nowe, podbierane z regałów w przedpokoju, gwarantując jednak stałe miejsce na oświetlonej ścianie albumom ze zdjęciami, tracącymi sens, jeśli nie trzymać ich na widoku, i słownikom, które zawsze powinny być pod ręką. Dokupiłem nawet frazeologiczny, podejrzewając nowe nieporozumienia, nabity w butelkę nie oznacza wcale pijanego, a wyrażenie: o włos, nie ma nic wspólnego z łysieniem.

Ustawiałem książki z pogwałceniem chronologii, dbając raczej o zasadę przejrzystości i pierwszeństwo dając ujęciom perspektywicznym. Stare ciemne wydania klasyki przetykałem nowszymi egzemplarzami o jaśniejszych strzałkach grzbietu. Nie zapomniałem także o kilku tomach poezji, dyżurnych zbiorkach angielskich przekładów haiku, więcej światła niż druku, dobra lektura na ciężkie szare dni, nic tak nie łączy, jak wspólnie odczuwana obcość.

Zauważyłem, że czyta inną niż ja gazetę, i prędko zamieniłem prenumeratę, być może nazbyt pochopnie, bo wiadomości wciąż powtarzały się te same i jeśli w starym tytule zebrał się parlament, to w nowym ani chyba coś znowu uchwali. Przy śniadaniu dzieliliśmy się sprawiedliwie, ona zaczynała od tyłu, kina, koncerty, restauracje, strawa. Telewizja, zbijająca nieco z tropu, bo pokazywano w niej stare filmy, jakbyśmy przez pomyłkę dostali egzemplarz dziennika wprawdzie z grudnia, lecz sprzed kilku lat.

Ja przedzierałem się od frontu, ścigany salwami sił pokojowych, i na środkowych lokalnych stronach spotykaliśmy się złączeni wielką wstęgą, którą za chwilę przetnie krawiec burmistrz, on także przepasany, na nierówne pół, z wielkiej butelki wytryskała piana, wielkie nożyce otwierały dziób.

Po śniadaniu zostawialiśmy nieumyte naczynia, pozwalając rozsychać się okruchom aż do kolacji, gdyż lunch zjemy w mieście, korzystając z południowej obniżki cen, rozłąkę topiąc w dolewanej kawie. Myłem je pod wieczór, odpinając zegarek, bo upływ czasu i tak się dawał odczuć, pod palcem, kiedy odmywałem twardy klej musztardy.

Używaliśmy wyłącznie ekologicznych proszków do szorowania, pamiętając o łączącym nas zamkniętym obiegu, po cóż mielibyśmy szkodzić sobie nawzajem i podlewać amoniakiem, z prochu powstałeś i w proch się obrócisz, tak czy inaczej, bez pomocy kwasów, wszyscy szorujemy ku temu samemu przeznaczeniu, odstawiałem plastikowe opakowanie z naklejonym symbolem ekologicznego, zielonego, łabędzia, na szczęście ujętego gdzieś wysoko, w locie. Na wszelki wypadek odwracałem go jednak dziobem do ściany, nie rozumiem, dlaczego to właśnie łabędź miałby być szczególnie przyjazny naturze, *Cygnus amicus,* nie znalazłem tej odmiany na waszych skrupulatnych rycinach.

Któregoś popołudnia spóźniałem się bez powodu. Anna, czekając, rozgotowywała ryż. Zobaczyła mnie pół godziny po czasie, jak idę obok roweru, przebite koło dzwoniło obręczą, nostalgicznie, zwołując z okolicznych podwórek chłopców z wygiętymi na końcach prętami, oni potrafiliby je jeszcze ożywić, wprawić w ruch, pobiec, potoczyć przed sobą.

Ja, przeciwnie, wlokłem się za nogą, jakbym smukły rower przerobił na pojazd pogrzebowy, który sunie ustawiony w kondukt za swym umarłym, nieodżałowanym przednim kołem.

Tak, przyznaję, że zbyt długo szukałem dziury, nie mogłem uwierzyć, że powietrze wyrwało się, uszło wolne: powietrze wypuszczone na przestwór powietrza.

Zboczyłem do sklepu z innymi, rączymi rowerami, aby skorzystać z wystawionej na chodnik sprężarki, za wszelką cenę chciałem je wcisnąć na powrót do dętki. Moje wysiłki nie zdały się na nic, bo dętka była rozpłatana niczym ryba, syk nie ustawał i zwątpiłem nawet, czy powietrze zatacza cały obrót. – Pan dmucha, nie pompuje – dogryzł mi właściciel.

Opona rozpłaszczała swoją płetwę i przy najmniejszym ruchu rozwierała skrzela.

Tego dnia jedliśmy w milczeniu. Annie kapało z widelca kleiste risotto, nadużyliśmy chyba jego cierpliwości. Ja sam z trudnością łapałem powietrze, odprawiając egzekwie nad wyschniętą flądrą.

Nazajutrz nie odnalazłem roweru przed domem. Nie zamknąłem go, to prawda, ale z przebitym kołem gdzie się miał wyrywać. Spacerowałem tam i sam wzdłuż stojaków, z niewidzialnym psem, któremu już kręciło się w głowie. Dotykałem pozostałych rowerów, stały tam, stawiały zacięty heroiczny opór rdzy, na gładkim czole niklu czułeś jej ospowatość. Przyglądałem się niewielkim zagłębieniom pozostałym na żwirze, z niedowierzaniem, jakbym zajrzał do otchłani. Tak, najwyraźniej ktoś zabrał go do reperacji. Połączyła nas pępowina linki od hamulca. Tkwimy w uścisku jego czułych szczęk.

Od czasu tego incydentu Anna wyraźnie zmieniła swe postępowanie. Spóźniała się notorycznie. Potrafiła przyjść dwie godziny po ustalonej porze posiłku, stanąć w drzwiach między podwieczorkiem i kolacją, nałożyć sobie kilka łyżek ryżu i zjadać go przy biurku, wśród rozrzuconych papierów, zerkając co chwila na niewidoczny, opalizujący w kącie telewizor.

Jadła sama, ale wyglądała, jakby ją karmiono. Przestała nawet parzyć herbatę, popijała zimną wodą, w kuchni zostawiając zainstalowaną kroplówkę niedokręconego kranu. Niewczesnym popołudniem potrafiła zaciągnąć zasłony i opuścić się w fotelu, tak że widziałem tylko odwrócony spodek jej głowy, żydowską czapkę niewidkę, myckę niewidkę. Potem i on zanikał, kładła się na łóżku, przyciskając ramiona do tułowia, jakby niosła pod pachą ważne materiały. Uchylone do przedpokoju drzwi rzucały na ścianę szparę światła, niewyraźną rozciągniętą literę, *i*, *t* albo *1* (tylko czemu jej szukać w waszym alfabecie?).

Nie wiedziałem, co robić, dzwonić po lekarza, o tak, przyjedzie, jakiej specjalności?

– Nie śpisz? – nie powiedziałem cicho. – Może nastawić wodę na pomoc herbacie?

– Tak, bez cukru, w nakrapianym kubku – zgodziła się po dłuższej chwili niezdecydowania.

– Co ci właściwie jest, to głowa czy żołądek? Mamy tu przecież jakieś krople, cuda, na etykiecie piszą, że na głowę, ale żołądek także sobie je przyswoi, medycyna ustaliła z fizyką, że jesteśmy naczyniem połączonym.

– Nic, zaraz przejdzie, coś raczej pośredniego, gdzieś tu, w przełyku. – Dotknęła szalika.

Czajnik zagwizdał najpierw ostrzegawczo, lokomotywa, która już się zbliża, i potem coraz bardziej przenikliwie, jakby do kuchni ułożono tory, aż nagle zamilkł: para poszła z gwizdkiem.

– Po co łyżeczka, jak i tak bez cukru – przytomnie nie zauważyła Anna. Wyjęła ją, przytknęła do, też ciepłego, czoła.

Rozmawialiśmy swobodnie, wymieniając celne bulwarowe repliki, mimo że mieszkamy przy jednej z bocznych, wąskich ulic w małym mieście.

– Odnalazł się? – podsumowała wreszcie Anna, i wzrok się jej zatrzymał na naszym parkingu.

– Szukałem wszędzie, chodziłem wzdłuż wszystkich rowerowych zasieków, pod dworcem, pod biblioteką, pod kinami, gdzie stojaki opasują drzewa i rowery stoją w kole, naradzając się, dokąd pojechać. Zajrzałem nawet do stawu przy pergoli w parku, na wypadek gdyby ktoś pomylił przeznaczenie.

Nie ma, zapadł się pod ziemię, jak kamfora, nie, nie ma nawet kamfory. Odnalazłem jeden po drugim pochowane po piwnicach warsztaty, myślałem, że może wciąż trzymają go w naprawie, nie, nie wiedzą, trudno im powiedzieć, rowery są tak do siebie podobne, wąskie nosy, błotniki i platfus pedałów.

Tak, pedały, miały lekki luz, i kiedy prawy pokonywał szczyt, najpierw myślałem, że to coś przeskoczyło u mnie w kolanie. Zahamowałem, zsiadłem i zacząłem przyglądać się swojej prawej nodze, zgiąłem ją i wyprostowałem. Zrobiłem kilka kroków, przekręciłem stopę. Nic nie poczułem, nic nie zabolało.

– Trzeba iść na policję, to tam odprowadzają zabłąkane sztuki.

– Byłem i na policji, stanąłem nie w tej kolejce i mało brakowało, a daliby mi jeszcze jeden paszport. Po co paszport, skoro nie ma dokąd jechać? Zjadłem go już zresztą, czy nie przeceniacie mojego apetytu? Potem wypełniłem szczegółowy kwestionariusz, wspomnienie, i zeszliśmy do rozległej piwnicy, gdzie setki rowerów wisiało zaczepionych za przednie koło na hakach, tusze w rzeźni.

Chodziłem wśród nich z przekrzywioną głową, bo trudno jest rozpoznać rower w pionie, nie pamiętam, aby mój stawał dęba. Niektóre były w opłakanym stanie, wątpię, by kiedykolwiek stanęły na własnych kołach. Inne znów wyglądały na nowe, tak jakby przyniesiono je wprost ze sklepu. W jednym obracało się jeszcze tylne koło, próżno szukając gruntu pod oponą. Tu i ówdzie brakowało siodełek i przez chwilę poczułem się niczym w gabinecie tortur.

– Ten! – zawołałem, ale okrzyk zamarł mi w ustach, bo z bliska zobaczyłem, że to tylko kopia, a szukaliśmy przecież oryginału. Cofnąłem zawstydzony wyciągniętą rękę, w popłochu, jak wtedy gdy pomylimy naszego znajomego z kimś łudząco podobnym, ale obcym. Policjantka na wszelki wypadek sprawdziła przyczepioną do roweru metrykę. – Wisiał tu, zanim panu zginął – podsumowała.

– Może dać ogłoszenie – przerwała mi Anna.

– W którym dziale? Kupię rower, sprzedam rower. Odnajdę rower? Czy raczej od razu tam, gdzie nekrologi?

Anna zamilkła, nikła, zasypiała. Gorączka wstępowała w termometr jej ciała.

– Kupimy sobie nowy – odpowiedziała chłodno, aby w ostatniej chwili trochę go ostudzić.

Przygoda z rowerem wywołała cały szereg usterek w innych urządzeniach mechanicznych, bo świat jest jeden, wspólny i tożsamy z sobą. Najpierw w klawiaturze, gdzie nastąpiło niewielkie, ledwie dostrzegalne przesunięcie, o włos, który musiał dostać się do środka z mojej łysiejącej głowy, i ja, który tak dbam o jasność, przejrzystość wypowiedzi, zacząłem nagle pisać niezrozumiałym szyfrem.

Nadal naciskałem właściwe, pozostające na swoich miejscach klawisze, unosiłem palec, celowałem precyzyjnie w sam środek tarczy: o, ale na ekranie ukazywała się sąsiednia, zupełnie przecież różna litera, jak na strzelnicy, gdzie wiatrówki są zwichrowane. Wszystko przesunęło się o jeden klawisz, w prawo, i zamiast być dosłowny, stałem się *avant la lettre*, awangardowy, *dyilmoryu*: spółgłoski i samogłoski grupowały się teraz w przeciwnych, niemieszających się obozach, jakbyś czeski przetykał fińskimi wtrętami. Wyobraziłem sobie, że będę musiał maszynopisy dostarczać do drukarni z próbkami włosów, niczym raporty policyjne, tak aby czcionkom dać szansę powrotu.

Potem zaczął się psuć samochód. Używałem go coraz rzadziej, bo przekonałem się, że trudno jest gdzieś tu wjechać, ulice w mieście wytyczono dla demonstracji i poprzedzonych orkiestrami defilad, które przed ograniczającymi prędkość garbami na jezdni zwalniają nieco marszowego kroku. Znowu zrobiło się zimno i rankiem, stojąc na przewiewnym parkingu, przypominał wywróconą na lewą stronę zamrażarkę, śnieg gromadził się nie w środku, lecz na zewnątrz drzwi.

Nie zamierzałem nigdzie jechać, ale od czasu do czasu zapuszczałem silnik, by nie zapomniał momentu obrotu. Któregoś ranka wsiadłem i otoczyła mnie biała poświata, od powleczonych szronem szyb, jak w gabinecie u lekarza. Psychiatry – miałem cichą nadzieję – bo nie chciałbym rozbierać się w tym chłodzie. Przekręciłem kluczyk, ale silnik odpowiedział tylko krótkim niezrozumiałym bełkotem i zaraz całkiem umilkł, jakby umarł. Przekręciłem ponownie i jeszcze, jeszcze raz.

– Przestań – powiedziała Anna – nie sądzisz chyba, że samochód jest nakręcany.

Nie, nie chciał zapalić, choć wydawałoby się, że w tej temperaturze dobrze jest się trochę ogrzać.

W dalszym ciągu nigdzie się nie wybierałem, od pewnego czasu znajduję upodobanie w osiadłym trybie życia. Trudno jednak było pogodzić się z myślą, że zagustował w nim także i samochód, więc po paru dniach zdecydowałem się poprosić sąsiada z parkingu o użyczenie tej bożej iskry, która wszystko wprawia w ruch. Połączyliśmy się kablami, plus do plusa, minus do minusa, czerwony, czarny, starannie oddzielone – i poczułem, jak spływa życiodajna energia. Silnik pracował z zapałem, na wysokich obrotach, jak gdyby chciał odrobić tydzień zaległości.

Cofnąłem i zaparkowałem od nowa, aby nie porobiły się odleżyny.

– Dobrze by było zmienić mu przerywacz – zasugerował sąsiad, obeznany.

Pojechałem do sklepu przy waszych narodowych warsztatach samochodowych. Długo chodziłem wśród półek zapełnionych wynalazkami, jeszcze lepiej trzymającymi się szosy kołami, doskonalszymi, bardziej okrągłymi kierownicami, berłami do skrzyni biegów, z mahoniową inkrustowaną strzałkami głową, przemyślnymi termometrami, które wskazują, czy w ogóle warto zapalać. Życie można by poświęcić na udoskonalenie komfortu jazdy.

W niektórych limuzynach – sugerowała reklama – droga staje się celem samym w sobie. Wszystkie te dodatki kosztowały więcej niż mój samochód w całości. Mógłbym sprzedać auto i kupić sobie kierownicę – pomyślałem, przejęty handlowym instynktem.

Dotarłem w końcu do mechanika czy sprzedawcy, poprosiłem o przerywacz. Nie, nie wiedziałem, jaki model. Tak, znałem swój numer identyfikacyjny, 570829-2254 – wyrecytowałem, jeszcze niepewny, o co tutaj chodzi. Patrzyłem, jak mechanik czarnymi od smaru palcami wystukuje cyfry na brudnym, napędzanym na benzynę komputerze. – Bosch, 30 łamane przez 50 – powiedział. – Czy coś więcej?

Uciekałem jak oszalały, przekraczając dozwoloną prędkość i nieraz decydując się skręcać pod prąd, wszystko po to, aby zgubić pościg. Kilka razy byłem o centymetr od wypadku, bo wpatrywałem się uparcie we wsteczne lusterko.

Na rondzie koło szpitala zrobiłem kilkanaście okrążeń, czekając chwili, kiedy będzie całkiem puste tak, aby niezauważony wydostać się na autostradę.

Przy pierwszym zjeździe skręciłem gwałtownie, przejechałem przez wiadukt przerzucony nad szosą i puściłem się w odwrotnym kierunku, na północ, naprzeciw dopiero co wyprzedzonej ciężarówki. Teraz byłem już pewien, że nikt mnie nie śledzi, ale wciąż układałem trasę ucieczki w głowie.

Nie wcześniej niż pod wieczór, kiedy zaczęło na mnie migać czerwone ostrzegawcze światełko wskaźnika paliwa, zjechałem na stację benzynową i zahamowałem.

– Uspokój się – powiedziała Anna – przestań.

Kto mógł zdradzić? Należało rozpocząć systematyczne, żmudne śledztwo. Zacząłem od studiowania dokumentów samochodu, ostatnia cyfra w numerze dowodu rejestracyjnego oznacza liczbę poprzednich właścicieli. Trzech, ja byłem czwarty, ale siebie nie podejrzewałem. Poprzez centralny rejestr pojazdów dotarłem do nazwisk i adresów, rozrzuconych od północy do południa, po całym kraju, wasza rejestracja nie przypisuje do jednego miejsca, czujmy się wolni. Zacząłem pakować rzeczy, trzeba było przygotować się na dłuższe podróże.

Do L. dojechałem wynajętym autem o świcie, po całej nocy w drodze, zgodnie z reklamową przepowiednią w każdym jej punkcie czułem się u celu. Zaparkowałem u końca ślepej ulicy, sam niewidoczny, mogłem obserwować front domu, typowej willi z trawnikiem zamiast ogrodu, poprzez garaż połączonej z sąsiednią. Zapaliłem papierosa. Czekałem. Anna milczała.

O szóstej czterdzieści zapaliło się światło w sypialni na górze. W chwilę potem obok, w pokoju dzieci. Zobaczyłem go, jak nakrywa do stołu: głębokie talerze, jogurt z miodem, chrupki chleb, dwulitrowe pudło soku pomarańczowego. Przecierając oczy, pojawiła się pierwsza dziewczynka, o jakieś dwa lata starsza od siostry, która przyszła na gotowe, kiedy chrupki chleb już pokruszony do talerzy. Ze stojącego na skraju okna opiekacza wyskoczyły w górę dwie grzanki i przez chwilę zobaczyłem profil nachylającej się po nie kobiety. Parę minut potem miałem zobaczyć ją od tyłu, jak stoi przy zlewie i myje naczynia po śniadaniu.

Otworzyły się drzwi wejściowe i wyszła starsza dziewczynka, prowadząc na smyczy małego psa, teriera. Przez chwilę przestraszyłem się, że idzie w moją stronę, ale skręciła po kilku krokach w niewidoczną dla mnie ścieżkę, która musiała prowadzić między domami. Usłyszałem, jak gwiżdże na psa, gdzieś za plecami, jakby chciała mnie zaskoczyć od tyłu. Po chwili jednak wróciła tą samą drogą i weszła do domu, machając smyczą niby skakanką.

Zgasło światło i zaraz potem uniosły się automatyczne drzwi do garażu. Zapuściłem silnik, za wcześnie, bo starsza dziewczynka wysiadła jeszcze, wbiegła do domu i wróciła z zapomnianą książką.

Jechałem za nimi w pewnej odległości: ten sam samochód, tylko inny kolor i nowszy model, wierność nie wyklucza zdrady – przemknęło mi przez głowę. Trzymali obowiązującą prędkość, przy szkole zwolnili do trzydziestu i zaraz zatrzymali się. Dziewczynki wysiadły, obie od strony chodnika, i pobiegły w stronę wejścia, popychając się i szarpiąc ze śmiechem.

Skręcili do centrum miasta, na czerwonym świetle stanąłem tuż za nimi, w ich panoramicznym lusterku wstecznym widziałem jego druciane okulary. Zobaczyłem także ją, kiedy odwróciła się, odkładając na tylne siedzenie teczkę: ładna zadbana kobieta w średnim wieku. I on tak uważał, bo nachylił się i pocałował ją, długo, demonstracyjnie, a przyklejony na ich tylnej szybie pasek reklamowy wyglądał w tym momencie jak napis na filmie.

Tymczasem zapaliło się zielone światło i kobieta za mną lekko zatrąbiła. Sądził, że to ja ich ponaglam, bo podniósł rękę z papierosem w palcach, wyciągnął ją do zgody na znak, że droga wolna.

Wciąż jeszcze pewnie wożę jego popiół w popielniczce – pomyślałem i odruchowo otworzyłem ją, proszę, niech strzepuje.

Kluczyli przez chwilę po wąskich garbatych uliczkach centrum, aż zatrzymali się przed centralnym parkingiem. Na chwilę zapaliły się białe światła wsteczne, znak, że nadal używa automatycznej skrzyni biegów, przekładając z pozycji D na P, musi przebiec przez R, która je uruchamia. Stać go na benzynę – przemknęło mi przez głowę. Kiedy zaniepokojony jej zużyciem, przy którymś przeglądzie sugerowałem mechanikowi dziurę w baku i z niedowierzaniem pytałem, ile ten samochód właściwie pali, usłyszałem tylko filozoficzną uwagę: – Pali, ile zdąży.

Opuściło się elektrycznie sterowane okno i wyciągnął rękę, tym razem lewą, z kluczem w dłoni, przekręcił zamontowany na słupku pod plastikową osłoną zamek i drzwi do garażu złożyły się w gigantyczny akordeon. Zniknęli w podziemiach, drzwi bezszelestnie znów rozpostarły się w ścianę. Stałem jeszcze przez chwilę w niedozwolonym miejscu, zastanawiając się, co dalej.

Wracałem w stronę szkoły i zbierałem myśli. Stanąłem na zarezerwowanym dla nauczycieli parkingu i czekałem, cierpliwie jak pedagog. O dziewiątej czterdzieści rozległ się dzwonek i podwórko zaludniło się dziećmi wyposażonymi w nową porcję wiadomości. Wytężałem wzrok, ale nie mogłem odnaleźć moich dziewczynek. Wszystkie dzieci są do siebie podobne. Wszystkie wyglądają tak niewinnie. Zobaczyłem zbliżający się samochód i czym prędzej odjechałem. Nie chciałbym, aby śledztwo odwróciło się znowu przeciwko mnie.

Postanowiłem wrócić do centrum i zaczekać do wieczora. Zostawiłem auto w bocznej uliczce i zacząłem spacerować bez celu, jak emeryt. Wstąpiłem do domu towarowego, objechałem cztery piętra, nic nie kupiłem. Wstąpiłem do sklepu z żelazem, obejrzałem narzędzia zbrodni. Zbliżała się pora obiadu i poczułem punktualny głód, od wyjazdu z domu nic nie jadłem, poza suchymi herbatnikami przeciw zasypianiu w drodze. Chodziłem od restauracji do restauracji, na razie trawiąc czas, i studiowałem karty dań, dokładnie, jakby zamieszczono w nich także przepisy. W końcu się zdecydowałem, wszedłem, przełykając ślinę.

Zobaczyłem go w głębi sali, ukrytego za przepierzeniem ze sztucznych fikusów. Jadł i rozmawiał, naradzał się z kobietą. Inną kobietą, młodszą, ale nie tak ładną. Wybrałem najbliższy wolny stolik, parę metrów dalej. Chwytałem strzępy rozmowy: mieć to przed trzynastym, jeżeli nie zdążymy, cały terminarz na nic, i w ogóle niesłone – sięgnął po solniczkę – ciekawe, co by na to odpowiedział -sson. Niestety, nie dosłyszałem pierwszej części nazwiska. Spojrzał na zegarek, czas na nich, zapłacili każde za siebie, wstali i wyszli, nie zwracając na mnie najmniejszej uwagi. Chciałem pobiec za nimi, ale kelner zwlekał z rachunkiem.

– Nie smakowało? – zapytał, widząc ledwie napoczętą porcję. Kiedy znalazłem się wreszcie na ulicy, nie było po nich widocznego śladu. Łaciaty spaniel szedł wzdłuż krawężnika i wdychał, jeszcze świeży, trop. Potrząsałem głową, nie wiedząc, w którą stronę odeszli. Zza zakrętu wyłoniła się pomalowana w niebieskie lampasy limuzyna: to w pobliżu kręciła się już policja.

Wróciłem do samochodu i wyjechałem kawałek za miasto. Pod lasem znalazłem miejsce na przydrożny piknik.

Nie zamierzałem jeść, choć wciąż byłem głodny. Chciałem się chwilę zdrzemnąć, snem, który przynosi radę. Kiedy się obudziłem, było już ciemno. Czułem przenikliwy chłód i brakowało mi prawej, zdrętwiałej ręki.

Szlag by trafił – zaklął pod nosem i zdrętwiałą ręką zapuścił już wystygły silnik.

Zatrzymałem się nieco dalej niż rano – traciłem z pola obserwacji sypialnię dzieci, ale zyskiwałem perspektywę zakrętu z otwierającą się zaraz za nim zatoką na przystanek autobusowy. W domu panowała jeszcze wczesna ciemność, do której nie przywykły niczyje oczy. Włączyłem nieświadome radio, nadające niczemu niewinną muzykę.

Pierwsze pojawiły się dziewczynki z mamą. Szły z teczkami i torbą zakupów, już dobrze po tym, jak przyjechał autobus. Pies wyskoczył na ganek, szczekał i skakał na dzieci, liżąc je po twarzach. Nawet nie weszły do domu, od razu pobiegły z nim na spacer, tą samą drogą co rano. Znów usłyszałem głosy i szczekanie gdzieś za plecami. Na stole w kuchni pojawiła się torba z zakupami, w głębi zobaczyłem jaśniejszą plamę otwartej lodówki.

Nie wracały przez pół godziny, zaczynaliśmy się niepokoić, mama nerwowo krajała cebulę, przecierając nadgarstkiem oczy. Odrzuciła nóż i wybiegła do przedpokoju. Przytrzymała słuchawkę ramieniem, sięgnęła po ołówek i zapisała numer na wiszącym na ścianie nad telefonem notatniku. Tak, przekaże.

W końcu pojawiły się, po trzech kwadransach, idąc od przeciwnej strony. Zobaczyłem je w bocznym lusterku już wtedy, kiedy prawie zrównały się z samochodem. Pociągnęły mocniej psa, któremu opona zapachniała drogą.

O 18.44. Wrócił o 18.44 i minęło jeszcze dwadzieścia minut, nim wreszcie wszyscy czworo zasiedli do kolacji. Nakładał na talerz, podnosząc rękę wysoko i zawijając rozhuśtane końce spaghetti. Od drugiej strony krążyło już mniejsze naczynie z sosem.

Nie zmywali, wstawili nakrycia do czekającej na komplet sztućców zmywarki.

Otworzyłem gazetę na stronie z programem telewizyjnym i cierpliwie odczekiwałem jego kolejne punkty.

Po jedenastej zapaliło się światło w sypialni.

Przed dwunastą zgasło.

Nie obejrzeli dwóch filmów, programu *Dokumenty* i motomagazynu (powtórka ze środy).

Tego dnia Adam A-on obudził się kwadrans przed zaprogramowaną na budziku siódmą, odczekał piętnaście minut i po mocniejszym ostrzegawczym tyknięciu wskazówki uruchamiającej mechanizm dzwonka szybko wcisnął blokadę, zanim jeszcze rozległ się pierwszy sygnał. Sięgnął po leżące na nocnym stoliku tabletki – od kilku dni nieodmiennie budził się z bólem gardła.

Podniósł z progu poranną gazetę i czekając, aż zagotuje się woda w czajniku, obojętnie przebiegał wzrokiem tłuste tytuły. Zasypał mocną, podwójną kawę i szklanką wody popił zgromadzone w jednej pigułce witaminy.

Pół godziny później był w drodze do biura, słuchając tej samej co wczoraj i przedwczoraj piosenki, której refren zależnie od natężenia ruchu i rozkładu świateł wypadał raz przed, a raz tuż za rondem. Zadzwonił ledwie co wyjęty z teczki i zamocowany obok kierownicy telefon, jakby chciał odrobić milczenie budzika.

– Tak, mam ten raport.

– Tak, już z ostatnimi poprawkami. – Uspokoił szefa, który miał dziś wykazać przed zarządem, że krzywa rośnie. Nie odkładając słuchawki, wyszukał zaprogramowany numer do B. i potwierdził spotkanie o szóstej, u niej w domu. Przyniesie butelkę czerwonego wina, od trzech dni woził je, niczym porto przez równik, w swoim samochodzie.

Przedpołudnie minęło na korektach raportu, bo poprawki odnawiały się niemal co godzinę, każdy chciał tu dołożyć swoje trzy grosze, jakby mogły one zmienić mierzony w setkach milionów bilans.

Obiad zjadł z szefem i sekretarką, z równym powodzeniem mogliby sobie nakryć na biurku.

Trzeba to będzie jakoś wliczyć do godzin pracy – pomyślał z zemstą.

O czwartej miał umówione spotkanie z prawnikiem w banku, na drugim końcu miasta. Z powodu kilku finansowo-jurydycznych zawiłości narada się przeciągnęła i przed piątą zadzwonił do sekretarki, że już nie wróci. Szukał go S. Nie szkodzi, zaczeka do jutra.

Została mu niespełna godzina, ze zręcznością taksówkarza zaparkował auto w samym centrum, na przed chwilą zwolnionym miejscu.

– Niestety – uśmiechnął się do kierowcy z tyłu, który także włączył prawy migacz – we dwóch się tutaj nie zmieścimy.

Szedł przez swoje rodzinne miasto i czuł się trochę jak cudzoziemiec, przejazdem. Od wielu tygodni prawie nie wysiadał ze służbowego samochodu – nie licząc pracy, domu i od czasu do czasu mieszkania B. Nie pamiętał, kiedy ostatni raz miał okazję przejść się pieszą handlową ulicą. Jeszcze trochę, a będą nam urządzać wycieczki czarterowe do centrum, urzędnikom dryfującym między biurem a biurem – pomyślał i dotknął wewnętrznej kieszeni marynarki, gdzie zawsze na wszelki wypadek nosił zjeżdżony paszport.

Zdawało mu się, że niczego nie poznaje, sklepy zamieniły się miejscami i tam, gdzie spodziewał się znaleźć kwiaciarnię, sprzedawano dziś owoce, czyżby obrodziły hodowane w doniczkach drzewka pomarańczowe? Kwiaciarnię odnalazł w końcu na następnym rogu, w miejscu dawnego sklepu filatelistycznego (którego losów nie miał już siły i czasu prześledzić). Wszedł i zdjął zaparowane tropikalną wilgocią okulary. Z wiadra pełnego róż wyjął jedną, czerwoną.

Historia z B. ciągnęła się od wielu miesięcy, zawsze w swojej schyłkowej fazie. Była w tym jakaś rezygnacja, która cechowała jego stosunki z kobietami od czasu rozwodu. Niekiedy miał wrażenie, że nawet ich skromne plany na przyszłość – tydzień na nartach z okazji Wielkanocy – formułowane są od razu w imperfectum. Czuł się jak protagonista opowiadania o dawno zakończonej, wątłej akcji. Do pustego bagażnika wrzucił teczkę, a wyjął z niego butelkę wina. Dobra zamiana – pomyślał i zatrzasnął klapę.

Pozostawała trzecia ewentualność: emeryt, od którego kupiłem samochód. Zostawiłem ją na koniec, który leżał w miasteczku oddalonym o dziesięć minut drogi. Tym razem nie potrzebowałem mapy i przebranego, wynajętego samochodu.

Drzwi otworzyła żona.

Wdowa – umarł tego lata, to z upału, mówiła, pogrzeb – w lipcu – także umierał ze spiekoty, ale jednak żałobnicy jakoś przeżyli.

Cmentarz na zboczu (znowu) obok kościoła, tam, parę kroków pod górę, gdybym się wybierał. Zmarły często wspominał swój stary samochód, zadowolony, że dostał się w dobre ręce. Wiele rzeczy naprawiał w nim i ulepszał samodzielnie, w każdą sobotę przeprowadzając się do garażu. Została tam kolekcja starych części i śrubek, które ściskają już tylko same siebie.

Czy chciałbym zobaczyć? Może coś się jeszcze przyda, na pewno by sobie tego życzył, był inżynierem i uważał, że rzeczy powinny być używane zgodnie ze swym przeznaczeniem. – Taki los – lubił powtarzać. Ciężko mu było się rozstawać, objechaliśmy świat tam i z powrotem – śmiał się – bo chodziło przecież o ten prosty odcinek autostradą, nie dłuższy niż grubość południka na globusie.

Zachował samochód jeszcze jakiś czas po tym, kiedy było wiadomo, że nie może go już używać. Na wiosnę choroba poczyniła znów znaczne postępy, korzystając z ogólnych nastrojów wzrostu, i wtedy zdecydował się dać ogłoszenie. Wyciął je potem z gazety i trzymał wśród zdjęć, pamiątek, czy chciałbym może przejrzeć te albumy?

Poczułem się ocalony, nowo narodzony, to była pierwsza śmierć, jaka mnie tu dotknęła, nie licząc tamtych dwojga na wyspie po desancie, ale ich traktowałem jeszcze jak ofiary przeciągnięte z naszej, niemieszczącej się w rachunkach, strony. Dostałem kawę, która teraz wcale nie smakowała niebytem, przeciwnie, niech pan pije, proszę się rozgościć, na krześle w kuchni tyłem do lodówki, między zlewem a oknem, jest miejsce dla żyjących.

Nie przypomina sobie, aby kiedykolwiek były kłopoty z zapłonem, choć z drugiej strony samochód stał zawsze w garażu, ocieplanym zimą i otwartym latem. Co do elektryczności był bardzo skrupulatny, nie zniósłby, aby żółta ostrzegawcza lampka paliła się choć chwilę na desce rozdzielczej, wysiadał i sprawdzał wszystkie żarówki, których był zawsze zapasowy komplet, czekający cierpliwie swoich chwil jasności.

Owszem, raz zdarzyło się, lecz coś zgoła przeciwnego: silnik nie chciał zgasnąć. Którejś zimy pojechali na północ, do domku w górach, drogę wyznaczały odblaskowe tyczki wbite na poboczu, bo śnieg nie czynił różnicy między szosą i polem. Takie same, jakich używa się przy zawodach narciarskich, ale tym razem chodziło o to, aby, przeciwnie, jechać prosto, nie zygzakiem.

Wstąpili na ostatnią stację benzynową, mąż przekręcił kluczyk, wyjął go, wysiadł i dopiero wtedy zorientował się, że silnik nadal pracuje. Stał obok auta i ze zdumieniem oglądał kluczyk pod światło niczym znak wodny na cennym banknocie, przykładał ucho do maski, nasłuchiwał cudu.

Zaczął po kieszeniach szukać drugiego klucza, choć przecież nie jest tak, że jednym się zapala, a drugim gasi. Nabrał benzyny przy pracującym silniku, co jest zabronione, i dalej jechaliśmy, jeszcze ostrożniej, wolno, jak wyciągiem pod górę, a nie szusem w dół. To się nigdy nie powtórzyło, nie wiadomo, czasem zdaje się, że na nic nie mamy tu wpływu.

– W ostatnich latach braliśmy taksówki – mówiła, wciąż dolewając kawy – proszę, niech pan pije, mnie nie służy, ciśnienie, a został spory zapas. Mąż wymieniał zwykle z kierowcą kilka fachowych uwag, siadał z przodu i pilotował go przez światła i skrzyżowania. Potem zaczął też słabiej widzieć, miał trudności z czytaniem i relacjonowałam mu przy śniadaniu wiadomości z gazety, niczym bywały w świecie agencyjny reporter. Wybuchało koło lodówki.

Popadał w melancholię. Prosił, aby czytać mu coraz starsze wiadomości, czuł się pewniej, wiedząc, jak się skończą. Musiałam w końcu przepisywać je z mikrofilmów w bibliotece, bo nie mieliśmy już wystarczająco starych gazet w domu. Ajatollah powracał do Iranu, w glorii, pośród wiwatów, otwierano i zamykano Kanał Sueski, nadchodziły pierwsze, niewyraźne i ciemne, urągające jego nazwie, zdjęcia Jupitera, w tunelu pod Mont Blanc błyskało za to światło. John Profumo odchodził, bo kochał Christine Keeler, swoich dni dożywali Eichmann i Caryl Chessman, Andrea Doria leżała już na dnie, kiedy za najpiękniejszą uznano pannę Hillevi Rombin, i wciąż nikt nie mógł pokonać starego Joego Louisa. Kobiety zaczęły wkładać nylonowe, doprowadzające mężczyzn do szaleństwa, pończochy, szesnastoletni Faruk zostawał królem Egiptu; nie bacząc na los Lindbergha, coraz więcej śmiałków przelatywało nad Atlantykiem, do Essen wkraczali Francuzi, z akcentem na bagnetach.

Gdyby młodość wiedziała i gdyby starość mogła. A przecież młodość wie wszystko, wiedza rozprzestrzenia się z prędkością błyskawicy w światłowodach grubych jak snopki. Dopiero na starość człowiek robi się niepewny i każą mu po mleko chodzić do bieguna.

Wyglądał przez okno w kuchni, proszę, niech pan spojrzy. Ten sam koc trawnika na rogach wystrzępiony przez róże. Kapryfolium i ostrokrzew, ale nawet on nigdy nie ranił. Ta sama jabłonka, co roku ją prześwietlał, troskliwie jak Roentgen. Zaczynał rezonować, drżeć, przez wiadukt jego ciała jechały ciężarówki, kiedy odkładał łyżeczkę, ta długo nie mogła się uspokoić. – Popatrz – mówił – popatrz, czy widzisz na jabłonce te sikorki, sępy? – To wypuszczał z rąk sztućce, to potłukł okulary. Nieuchwytne przedmioty, są zrobione z mydła.

Przestał odróżniać zimno od ciepła. Wstrząsały nim dreszcze, biły na niego poty. – Jak słup ustawiony dla ćwiczeń pogody – mówił, zakładając nowe warstwy swetrów przetkanych ręcznikami.

Nie mógł odnaleźć miary, mylił objętości. Brał z półki największy garnek i gotował w nim jajko, on, który całe życie projektował mechanizmy z dokładnością do kilku mikronów. Wbrew zaleceniom lekarza jadł nadal jajka, być może myślał, że to one przywrócą go życiu. Pewnego ranka zastałam go siedzącego nad koszykiem, do którego włożyłam ich świeży tuzin. Siedział i wpatrywał się w nie, jakby czekał, aż coś się wykluje. – Nie mogę się zdecydować, nie mogę, które wybrać – płakał. Miał rację: czy znamy jakiś sposób, aby wybrać jajko?

Nie mógł sobie znaleźć miejsca. Wychodził tylko po to, aby zaraz wrócić, a kiedy wracał, siedział jak na szpilkach. Powinniśmy zamontować obrotowe drzwi – pomyślała.

Chwytała się różnych sposobów, nie chciała się ubierać w kostium, żakiet wdowy. Dzwoniła po dorosłych synów, którzy nigdy nie mieli czasu. – Czas w ich wyobrażeniu jest rzadkim minerałem. – Przyjeżdżali na niedzielę z walizeczkami przenośnych komputerów, w ostatnich modelach przewidziano miejsce na zmianę bielizny, skarpetki i krawat.

A potem następował nowy pusty tydzień. Wynajdywała wszystkie w okolicy koncerty i prelekcje. Zabierała go także do kościoła i biblioteki, ale kiedy pożyczała książki, on zaraz zaczynał czekać na termin ich zwrotu.

Pojechałem na cmentarz i bez trudu odnalazłem grób, mimo że wszystkie były takie same, skromne, kamień i zagrabiony wokół niego żwir. Na żywopłocie siedziała lśniąca kawka, a kilka metrów dalej jej negatyw, mewa.

Wesołe wróble w krzakach nie zachowywały nastroju powagi. Rzuciłem w nie garścią żwiru: – Bosch!

Długo stałem w milczeniu wobec tajemnicy, którą – proszę mi nie przerywać – musiał wziąć do grobu.

Wyjazdy nie mogły pozostać bez wpływu na moje stosunki z Anną. W pierwszej chwili myślałem, że się wyprowadziła, pozostawiając zagłębienie w murze, tunel, ale wieczorem z ulgą zobaczyłem w nim światło. Niechętnie podchodziła do okna, podejrzewając, że znajdzie się na linii strzału. Szybko zaciągała zasłony. – Jak mogłeś! Jak mogłeś! – wykrzykiwała spoza nich. – Wyjechać tak bez słowa, bez uprzedzenia, nagle. Jedź dalej, proszę bardzo, nikt nie zatrzymuje. Uciekłeś po kryjomu, jak śliski wąż w trawie, dla niepoznaki pozostawiając swój nakręcany samochód na parkingu. I jakież są wyniki tej ekspedycji – ironizowała niepotrzebnie. – Cóż takiego odkryłeś, nową Cieśninę Magellana, tak wąską, że mieścisz się w niej tylko ty. O sobie, myślisz tylko o sobie, autonomiczny przedmiot rozważań, autarkia.

Nie podała mi herbaty, nie spytała, czy miałem dobrą podróż, nie była nawet ciekawa, czy przywiozłem prezenty. Przez kilka dni jedliśmy osobno i zmywaliśmy każde w swojej wodzie, naczynia niepołączone, niemieszająca się do niczego kanalizacja. Kładliśmy się spać, odwracając się plecami do ulicy. Rano przy śniadaniu Anna demonstracyjnie rozkładała gazetę na stronie z ogłoszeniami mieszkaniowymi: zamienię pokój od frontu na okna od podwórza. Na godzinę zamykała się pod prysznicem, spłukując dokładnie. Nie czekała, aż włosy wyschną, wychodziła, wybiegała z mokrą głową.

Spadł śnieg. Zaczął padać o zmroku i nazajutrz pokrywał wszystko, łagodząc kanty, zacierając kształt. Właściciele odkopywali nie swoje, odmienione samochody, stróż szukał łopatą chodnika, rowerzyści trzymali się niepewnie na ulepionych rowerach, psy rysowały trawniki nową mapą zapachów. W południe stanęła armia grubych bezczynnych bałwanów, wieczorem wstawiono im świeczki do wydrążonej głowy i śnieg zabarwił się żółtym topniejącym światłem. Przy kolacji jedna z naszych wciąż obozujących w obozie rodzin obliczyła, że brakuje dwóch dziewczynek.

Policjanci nie wierzyli, sugerowali, by poczekać na roztopy, rozebrali nawet kilka bałwanów, ale w końcu dali się przekonać i przed północą zorganizowano łańcuch ludzi dobrej woli, którzy idąc w odległości kilku metrów, mieli przeczesać długowłosy las.

Szliśmy powoli, po kolana w śniegu, z termosami w plecakach i latarkami w dłoniach. – Aria, aria – echo odbijało końcówki obcej fleksji, z cudzoziemskim akcentem, zaokrąglając samogłoski. Anna szła po mojej prawej stronie, lekko wysunięta do przodu, dosięgając mnie końcami długich odchylanych gałęzi. Przez szereg przepływał nerwowy impuls, prąd, korzystający z przychylanych mu dendrytów brzozy. Przodem prowadziliśmy lisy i zające, solidarnie przyłączające się do poszukiwań. Górą leciał zwiad sów i odsyłał do centrali jednobrzmiące raporty: ani widu. Nad ranem dogonił nas helikopter z poszukującą ciepła kamerą, ale i ona przekazywała tylko zimne obrazy natury. – Czarno, czarno widzę – powiedziała Anna – chociaż śnieg.

Doszliśmy na krawędź lasu, przed rozpięte na sznurze prześcieradło pola. Horyzont przecinała pierwsza rysa słońca.

W autobusie rozgrzewaliśmy się niepotrzebnymi termosami: jeszcze ciepłe, otucha, para i alkohol. Znów dojeżdżaliśmy do miasta. Nad szpitalem, gdzie trwał wciąż nocny, już nam zbyteczny, dyżur, rozbłyskiwały czerwone światełka rozpięte na drucianej paraboli anteny, pajęczynie, w którą zaplątało się stado świetlików.

W domu zaproponowałem Annie, aby położyła się, przespała choć kilka godzin, ja będę czuwać, obiecywałem, choć nie wiedziałem – czuwać nad czym, świtem? Całe przedpołudnie siedziała bezczynnie, rozgotowując i tak tu miękką wodę. O trzeciej, jak w każdy pierwszy poniedziałek, zawyły syreny, na próbny alarm, ale i on jej nie poderwał od wystawionego na pociski stołu. Co zrobicie, jeśli zaatakują o trzeciej w poniedziałek, czy macie inne syreny, o przenikliwszym wyciu?

Dziewczynki odnalazły się popołudniu u nowo poznanej koleżanki, paręset metrów od domu. Przejęta niepewnym losem rodziny, zaoferowała im schronienie w szafie i nie wydała nawet wtedy, gdy policjanci późnym wieczorem zapukali do drzwi, rozpytując mieszkańców o zaginione dzieci. – Chciałam, aby zostały – tłumaczyła potem ośle-

176

piającym reporterom. – Tak, czują się świetnie, musiały opuścić kryjówkę, aby udać się do toalety. Nie, nic im nie zagraża, nie zjadły ich mole.

Znowu zbliżały się święta i pogodzeni, zabraliśmy się do gorączkowych przygotowań. Anna kupiła dwie symbolizujące gwiazdę betlejemską poinsecje i ustawiła je na parapecie w kuchni i pokoju. – Proszę uważać, by nie zmarzły, i utrzymywać w ziemi stałą wilgoć, a przeżyją i Wielkanoc – zapewniała kwiaciarka. Anna przymknęła uchylone okno w kuchni. Z pawlacza wyjęła stożkowaty świecznik i ustawiła go w pokoju na miejscu globusa. Dokupiła jeszcze dwa zakapturzone, skazane na śmierć, czekające na łaskę świąt hiacynty. Na razie stanęły na komodzie w hallu.

Rozpoczął się czas odwiedzin. Kuzyni zaczynali od parteru, wspinali się na pierwsze piętro, potem zręcznie przeskakiwali do klatki obok, przechodzili koło mieszkania Anny, aby po chwili pokazać się w oknie ponad nią, gdzie zostawiali bukiet świeżych tulipanów, nim wreszcie zniknęli za rogiem, a na trasie ich wędrówek stygło ciepłe aromatyczne wino i zalane nim rodzynki pęczniały, przeżywając drugą młodość. Ci, którzy nie mogli przyjść osobiście, delegowali listonosza, zmuszonego dopompować przeciążony rower: wszystkiego najlepszego dla was wszystkich ode mnie całego. Ucałowania, ścisk.

Ja tymczasem zająłem się choinką. Sprzedawano je na biegnącej zaraz za domem lipowej alei. Stały w równych szpalerach pod większymi, choć mniej teraz zielonymi lipami: las wchodził do miasta, ale respektował układ jego ulic. Na noc zagradzano drzewa siatką, aby nie narazić mieszkańców na inwazję zwierzyny.

Ociosałem pień i wetknąłem go do oplecionego blaszanymi borówkami podnóżka. – Przegina się na lewo, przy zachodnim wietrze – powiedziała mieszkająca na południe ode mnie Anna. Ścisnąłem mocniej śruby sekstansu. Pozostawała kwestia ubrania, przyodziewku. Tutaj nie mogliśmy dojść do porozumienia. Anna podawała mi wyjęte z rodzinnych pudeł łańcuchy i bombki, a także świeższej daty lukrowane pierniki i cukierki w srebrach. Ja chciałem wieszać, zgodnie z inną tradycją, wycięte z papieru figurki ptaków i suszone owoce, małe, choć rajskie, jabłka, daktyle i oliwki.

– Oliwki, czy ta choinka jest drzewem liściastym? – protestowała. W końcu powtykaliśmy tylko elektryczne świeczki i topniejący od nich syntetyczny śnieg.

Pozostawały ciasta. W chropowatej makutrze kręciłem masło na puch, a potem Anna psuła go, podstępnie dosypując coraz więcej mąki. Braliśmy także żółtka, szczyptę soli, drożdże, a przez maszynkę przepuszczali ser. Dokładać go ostrożnie, stopniowo, wciąż mieszając, tak aby trzymać w równowadze kwas.

Po kolacji rozpakowaliśmy prezenty. Dostałem jej ulubioną płytę, tę samą, którą puszczała latem przy otwartym oknie, atlas ptaków i nową, silniejszą lornetkę, abym mógł je porównać sobie z rysunkami.

Po świętach następowały konieczne korekty. Obdarowani wracali do sklepów i odsprzedawali swoje prezenty, taniej, bo już raz użyte. Ktoś zamienił krawat na szlafrok, wiązany inaczej, w pasie. Ktoś oczytany zwrócił będącą tylko wznowieniem starych lektur książkę. Ktoś u progu kariery dostał dwa obnośne telefony i teraz dzwonił sam do siebie: zajęte.

W ostatni dzień roku Anna prasowała. Rozkładała materiał na desce, rozprostowywała załamania i przygniatała je żelazkiem. Eksplodowało, roznosząc się echem, a nad deską unosił się przez chwilę dym.

Jesień przychodziła poza kolejką, na wiosnę. Rynny pracowały bez wytchnienia, a za dworcem, w niżej położonej części miasta, powstało rozległe rozlewisko, delta deszczu. W brunatnej wodzie kaczki polowały na nieumiejące pływać, tonące owady. Wody z każdym dniem przybywało, i wkrótce jedynym suchym miejscem był opróżniony na zimę obramowany basen fontanny. Dzieciom nalewało się do kaloszy i opróżniały je, siadając na wyniesieniu, jak zmęczony woziwoda, chodziwoda. Wśród szuwarów stał sprzedawca ciepłej kiełbasy i wysyłał ją w papierowych łódkach do rozbitków na skwerku. W dworcowej poczekalni rozchodził się stary, zatęchły zapach od złożonych, nigdy niewysychających parasoli. Wracały gęste mgły, mokre, białe, jakby wyparowało mleko.

Chodziliśmy w tej samej wielorękiej oleistej kurtce, brunatnej, oliwkowej i granatowej, tracącej kolor w wytartych miejscach, na mankietach, łokciach, przy kieszeniach.

Nad wodami unosiły się stada ptaków i krążyły do znudzenia, nie wiedząc, w którą stronę odlecieć, na północ czy na południe. Gałęzie obradowały, naradzały się, czy kiełkować. Tylko chmurom było wszystko jedno, co zasłaniają.

W rozmiękłej nieszeleszczącej gazecie wyczytałem ostatnią propozycję urzędu imigracyjnego: będziecie nam płacić za powroty, im kto dalej zajedzie, tym więcej dostanie. Dla dzieci do lat szesnastu obowiązuje specjalna taryfa. Puścicie nam w niepamięć pożyczki i koszty leczenia, dodatki mieszkaniowe i kredyty studenckie, w całości, niezależnie, ile kto liznął wiedzy. Bezrobotni jeszcze przez pół roku po wyjeździe będą korzystać z tutejszej kasy, bo bezczynność nie zna granic. Ci, którzy pracowali, mogą liczyć na pełnowartościowe emerytury, co przy różnicy kursów wcale nie jest mało, kto wie, czy nie zostaną najbogatszymi emerytami w mieście. Przy zakupach przed wyjazdem – chyba coś z sobą zabierzemy? – będziemy korzystać z wolnocłowych sklepów.

Wiadomość wywołała zrozumiałe poruszenie, tak że spory kawałek przesunęli się nawet ci, którzy wcale nie zamierzali wyjeżdżać, być może z braku stacji docelowej. W naszym schronisku na plantach unosiła się gorączka podróży, jakby za chwilę miał tam zajechać dawno zapomniany pociąg. Wybuchały dramaty rodzinne. Rodzice szybko przeliczyli pieniądze i postanowili wracać. Dzieci, którym groziło, że dorosną w drodze, za wszelką cenę starały się zostać. – Nie mówcie wracać z powrotem – pouczały starszych – to pleonazm, ciasto w cieście. Ci, którzy się ukrywali, wciąż nie uzyskawszy prawa pobytu, zapadali się jeszcze głębiej na myśl, że wracaliby za darmo. Przemytnicy podnieśli ceny i dowozili nas coraz odważniej, podpływając bliżej, aż w końcu któryś kuter osiadł na mieliźnie.

Nie wiem, jeszcze się nie zdecydowałem, musiałbym dobrze przestudiować rozkład jazdy.

Anna, zaniepokojona pogłoskami o moim wyjeździe, próbowała tymczasem osiedlić mnie w innym miejscu i zaproponowała swój, odziedziczony po dziadkach, domek na wsi.

Zapakowaliśmy samochód książkami i makaronem, kupiliśmy kilka gazet na zapas, na parę dni do przodu i zostawiliśmy światło w przedpokoju, aby złodziej nie myślał, że wejdzie niezauważony.

– Zostań, popatrz – mówiła, kiedy zza zakrętu wyłaniała się fotografia podchodzącej pod las aksamitnej łąki, starannie zakomponowanej w grubej ramie pola.

– Nie wiem, u nas też występują krajobrazy, zwolnij.

– Zostań, samoloty spadają, rozchwytywane przez terrorystów, promy toną, a kiedy już leżą na dnie, dla pewności przysypuje się je jeszcze kamieniami.

– Uważaj, zwolnij, według urzędu komunikacji za chwilę wyskoczy na nas jeleń.

– Ukradną ci walizkę, zamienią bilet, zaśpisz, obudzisz się za późno, na nieznanej stacji, kasy dawno zamknięte, a w poczekalni wieje.

– Nie wiem, podróże kształcą, a ministerstwo szkolnictwa wciąż wypomina mi z trudem tolerowany niedostatek kwalifikacji.

– Nie jedź, w przedziale duszno, upał, spleśnieją ci kanapki.

– Zaczekaj, zwolnij, tu wypada zakręt, na trzeciorzędną nieasfaltowaną drogę w las.

– Pojedźmy razem, we dwoje jest raźniej, w podróży tyle wrażeń, że będzie co dzielić.

W drewutni znalazłem kilka suchych szczap i udało mi się rozpalić ogień na kominku.

Trochę dymu przedostało się do pokoju, będziemy jedli wędzony makaron.

– Zostań – powiedziała Anna – kominek jest wyższą formą od ogniska.

Rozłożyła serwetki, rozstawiła talerze. Otworzyła książki na niedoczytanej stronie i odłożyła część gazet na makulaturę, tak abyśmy poczuli się bardziej zasiedziali.

Nocą wyszliśmy przed dom. Mgły opadły i na niebie stanęły gwiazdy, zbyt odlegle, by zarzucić na nie metaforę.

Nastały szczęśliwe dni opisywane w starych powieściach. Wychodziliśmy na długie spacery albo, przeciwnie, zostawaliśmy cały dzień w domu, grzejąc stopy przy kominku. Zbieraliśmy poziomki, jagody i grzyby, nie bacząc na przepisowy okres wegetacji. Maliny, tak dojrzałe, że pękały pod palcem – nie weźmiesz mnie żywcem, nie weźmiesz mnie całej. W szopie znalazłem starą wędkę z ciągle jeszcze ostrym haczykiem i stojąc na pomoście, wyłowiłem kilka bezmyślnych okoni.

Pory roku obracały się coraz prędzej, goniąc w piętkę. Rano była jeszcze zima, biała, skrzypiąca pod butem trawa, woda w studni tak zimna, że niemożliwe, aby nie zamarzła. Po południu nadchodziło lato, topiło się masło, wysychały wyniesione przed dom kanapki i kwaśniało mleko. Wieczorem zaskakiwał nas wrzesień, choć chyba zeszłoroczny, bo jabłka były zmarszczone i suche, z trudem podtrzymywały swą wypukłość jabłka. Na długiej niewidzialnej gumce krążył szpak, jednym skrzydłem wyruszał, a drugim powracał.

Obeszliśmy jezioro, raczej wzdłuż niż dookoła, bo woda rozlewała się w wąskie zatoki, wypełniając wgłębienie po upadłej gwieździe. Zajrzeliśmy do wiejskiego sklepu – skończył się makaron. Właściciel powitał nas serdecznie: – Wszystko przedniej jakości, proszę wziąć na zapas. Wyprodukowane w mieście opakowania wyobrażały najbliższą okolicę, łąki i łany. Dokupiliśmy makaronu śrubek i także nieco prawdziwych gwoździ, żeby wzmocnić nadszarpniętą wychodzeniem furtkę.

Wstąpiliśmy do przyklejonej do sklepu pizzerii. Zamówiliśmy dwie hawajskie pizze, przybrane plastrem ananasa z puszki.

Przystanek autobusowy czekał obok szosy. Dalej stała stacja benzynowa, gdyby ktoś chciał oddalić się na własną rękę.

Znowu znaleźliśmy się na leśnej drodze, na której zanika geografia. Nie wiadomo skąd, dokąd ani w jakim kraju. Nie wiedzieć na jak długo, jaki język w gębie. Trawy skłaniały się ku łacinie. Idące wśród nich równe koleiny przemknęłyby się chyłkiem przez każdą granicę.

Zrobiliśmy gęstą zupę rybną, wbijając ości ze świeżych okoni w mrożone sztabki filetów kupionych przed południem. Otworzyliśmy butelkę białego burgunda, zakorkowany liścik do smakoszy. Anna zaprosiła najbliższych – o kilometr – sąsiadów. Płomień zakrywał nam pół twarzy. Milczeliśmy przy rybie, przyjmując jej zwyczaje. Na deser ubiliśmy śmietanę, która odbiera smak owocom.

Odwiedzili nas znajomi z miasta, z krzykliwymi, zmuszającymi do zabaw dziećmi. Opowiadali o ostatnich wypadkach, z rozmachem, na wyprzódki, jakby spotkali przyjaciół z dzieciństwa. Ktoś się zaręczał, żenił, ktoś inny już rozwodził. Komuś wypowiedziano pracę, której ktoś miał nawał. Przewodnie pisma torowały sobie drogę, obejmując zakresem także i pobocze, cicho biegły terminy, wśród stawek podatkowych. W zakładach totalizatora padały wygrane, co kilka dni fortuna, szybka co koń wyskoczy.

Musieliśmy znów uciekać, ale nie było dokąd. Wypłynęliśmy łódką na trudny do ustalenia środek jeziora. Zarzuciłem wędkę, tym razem bez przynęty, bo chodziło o zakrzywiony na kształt kotwicy haczyk. Siedzieliśmy do zmroku, udając wędkowanie.

– Zostań – przypomniała sobie kwestię Anna, wertując w wątłym tekście, na wodzie napisanym.

Dzieci postanowiły zostać. Na niedzielę. Pościeliliśmy im w gościnnym pokoju, na strychu wydającym radosne skrzypienie. Na skraju łóżka czytałem sennym głosem nudną nieprzygodową książkę do poduszki. Zasnęli jednocześnie, w pół przydługiego zdania. Czytałem jeszcze chwilę, na wszelki wypadek, aż odwrócony plecami bohater znikał w ciemnym zaułku, ubrany już w piżamę.

Po godzinie weszliśmy poprawić im kołdry. Leżeli w poprzek łóżka, gadając przez sen. – Szybciej – czytali z innej książki – szybciej – chcąc zdążyć jak Kopciuszek, boso, przed północą.

Rano akcja nabrała rumieńców i wigoru, przenosząc się tymczasem na pudełko z mlekiem. Na jednej jego ściance autor zawiązywał nowy, poboczny wątek zdatności do spożycia. Jedliśmy grzanki, z dżemem porzeczkowym, i płatki, które nas cofnęły w latach.

Przed obiadem dzieci zarządziły kąpiel, chcąc wystawić na próbę ciepłą atmosferę. Płynęliśmy, nie rozumiejąc sensu wody, cztery lekkie spławiki, już daleko od brzegu. Wyszliśmy na małą należącą do rybitwy wyspę, ciepły, odliczony co do ziarnka piasek. Chłopcy rzucali płaskie kamienie odbijające się od i w lustrze wody. – Zostań – powiedziała Anna – będę dowozić ci jedzenie.

Po dwóch tygodniach przekupiony przez listonosza sąsiad z miasta przesłał nam starą pocztę, jej cierpiące zwłoki. Most Karola do Anny, pozdrowienia z Pragi. Ostatnią ofertę sklepów obuwniczych przed podniesieniem stopy oprocentowania i adresowaną nie wiedzieć do kogo kartę uczestnictwa w klubie książki, z dołączoną, pierwszą od kompletu, posrebrzaną łyżeczką, lektura na deser.

Osobną sporą kupkę jak zwykle stanowiły wciąż ponawiane listy z zakładów ubezpieczeń. Czy nie czas już pomyśleć o spokojnym schyłku – Anna i ja, objęci, schodzili tyłem do nas, lekko opadającą, tą samą i bez końca, z kościołem za drzewami, koleistą drogą. Czeka nas spokojna starość, trzeci, złoty, na wiek wieków wiek. Czekają nas dymiące wieczory przy kominku i odwiedziny rozbrykanych wnuków. Zimowe podróże do cieplejszych krajów, ukryty pod jesionką kostium kąpielowy. Ogród za domem, pełen twardych jabłek, czy tylko jeszcze zęby zdołają im podołać. Ciepłe wełniane koce w szkocką kratę zawijające nasze nogi w rulon. Zachody na pokładzie, tuż za balustradą. Loże w operze, paszcza barytonu. Walce odtwarzające koncentryczne słoje na dębowej hybrydzie: choince parkietu. Niedosolone płaskie kolacje na tarasie i preparaty, które rozpuszczają krew. Czekają nas wycieczki, w góry, bez plecaka, zakrapiane herbatą w geriatrii pensjonatu. Pelargonie, ich ziołowy zapach i owłosione liście, jak owady. Anna studiowała rzędy pokrzepiających sklerotycznych liczb, im wcześniej je odkładać, tym masz dłuższą starość. Gryzła, ssała ołówek, dodając ku pamięci. – Zostań – podsumowała wreszcie – będziemy się starzeć.

Wieczorem przeprawiliśmy się na drugi brzeg jeziora i na spuszczonym do wody parkiecie próbowaliśmy, jeszcze za młodu, przepowiedzianych nam na starość tańców. Orkiestra z remizy strażackiej grała na pomoście i przy skoczniejszych taktach chlupało jej w butach. Oświetlony chińskimi lampionami bufet, stojący tuż nad brzegiem, odbijał się w wodzie, serwując zapiekankę z oślepionych ryb.

Dzieci postanowiły zostać na wakacje. Pobiegliśmy do biblioteki, wożonej w autobusie, żeby się zaopatrzyć w stosowne opisy. Na regałach stały książki podróżnicze, przekraczające dopuszczalną liczbę pasażerów. Kierowca bibliotekarz wypisywał rewers i sygnaturę zgodną ze stanem licznika.

Do wesołych, rozrzuconych wśród pól miasteczek. Okrągłe karuzele, podłużne zjeżdżalnie. Blaszany zając, biegnie, ciężki jakby się najadł śrutu. Naręcza nieznających swego końca tasiemek i wiecznie głodna zgraja piskląt automatów.

Do kamieniołomów, budowli, które upadły na głowę. Wklęsła architektura zalana kryształową wodą. Nurkowaliśmy aż do bólu w uszach, jakby widoki okupić głuchotą. Siedliśmy na wyciętych w skałach stallach, chcąc przeniknąć tajemnicę głębokości, katedry o sklepieniu zapadłym pod ziemię.

Na plażę z przymrużeniem w ostrym słońcu oka. Annie ciemniało czoło i bielały włosy. Płynęliśmy przeciw sennym od niechcenia falom, do najbliższej mielizny: brzeg im pozazdrościł i także będzie odtąd się powtarzał. Wieczorem wysypywaliśmy z ubrania piasek, więźniowie, co w kieszeni przemycają podkop.

Anna nie spała, na elektrycznym kocu prześcieradła. Na plecach jej rozprowadzałem zimny kefir. Skóra drapała, pokruszony chrupki chleb.

Znaleźliśmy kosa ze złamanym skrzydłem. Wrzeszczał i dziobał w palec. Potem wypił mleko. Zagwizdał, którąś ze znanych melodii. Nic nie powiedział. Poszedł, nie poleciał.

Za drzewami zobaczyliśmy wodogłowie łosia. Popatrzył na nas miękko, przejrzał nas na wylot.

W ziemiance czyhał na nas, drżąc z rozkoszy, pająk. Między belkami, lśniąca, suszyła się sieć.

Pohukiwały nocą akustyczne sowy, piszczały nieznające prostej nietoperze. Kukułki odliczały lata i godziny.

Wiosłowaliśmy równo, lekkie żółte czółno płynęło w górę rzeki, za płytkiej, dno o dno.

Na rozłożystym dębie wznieśliśmy platformę i obrzucali wzrokiem, jak sięgnie, okolicę.

Ostrożnie z zanurzonych tuż przy brzegu koszy wyjmowaliśmy stare ciemniejące raki.

Łapał nas deszcz, biegliśmy, z lejkami nad głową.

Rozbijaliśmy piknik na każdej polanie, kanapki ze szczypiorkiem kładły się na trawie.

Gdy zasypialiśmy snem sprawiedliwego, ten podstępnie sprzedawał nas komarom.

Któregoś przedpołudnia Anna została w domu, przygotowując jakąś pracochłonną formę makaronu. Mieliśmy na rowerach okrążyć jezioro, zebrać na jego południowym brzegu koszyk malin, potem zjechać do szosy i wstąpić do sklepu, i nie ważyć się wracać bez świeżej śmietany.

Chłopcy jechali z przodu, udając wyścigi. Przy niewidocznych unoszących się w powietrzu lotnych premiach stawali na pedałach, przewijając taśmę, przy końcu szpulki w coraz szybszym tempie, aż po stop.

Skończyły się wakacje, zostaliśmy sami. Anna rozwiesiła pranie, ja rąbałem drewno, piła płakała, gdy trafiła w sęk. Pies pod stołem się zwinął w kłębek na kształt kota. Następowały długie syte wieczory, kiedy wszystko wraca na miejsce i utrwala się wiedza. Jak nazywał się bokser, który dwa razy pobił Jacka Dempseya? Komu wolno nosić czarną muszkę do fraka? Ile metrów musi przeskoczyć biegacz, aby nie wpaść do rowu z wodą? Kim są cherubini i serafini? Kim trybady? Skąd bierze się mimoza? Dokąd zmierza muzyka? Co ma rabarbar do szparagów? Gdzie jest całość?

Zdradziłem? Kogo zdradziłem? Widzę, że *trivial pursuit* zatacza coraz większe koła. Nieprawda, nie powiedziałem niczego, czego by już wcześniej nie wiedzieli. – Dziękuję, nie palę – odpowiadałem, kiedy przykładali mi papierosy do pleców. Oni najwyraźniej nie respektują waszego zakazu palenia, a nikotynowe plastry nie są tam jeszcze w użyciu. Przez tydzień nie pozwolili mi spać i jeszcze dla pewności częstowali proszkami nienasennymi. Wy, kiedy obudzicie się przed świtem, zaraz tego samego dnia zamawiacie wizytę u analityka, który studiuje bieliznę matki i buduje z niej swoje koronkowe konstrukcje. Ja nie zmieniałem bielizny przez dwa tygodnie, cuchnąłem. Tak, być może majaczyłem, niekiedy nawet w majakach podaje się zaskakująco precyzyjne informacje. Nie wiem, wcześniej czy później i tak by go to spotkało, nie można się uchylić losowi. Dobrze już, zapalę.

Z Anną poróżniliśmy się o jakieś głupstwo, drobiazg. Okruchy, półgodzinne spóźnienie, odwiedziny dwojga świadków Jehowy, których nieopatrznie wpuściłem do środka i posadziłem przy stole bez żadnych złych intencji, Bóg mi świadkiem. Którejś soboty pod dom podjechała ciężarówka i dwóch osiłków zaczęło wynosić meble, obłożone kocami, tak że nawet teraz nie zobaczyłem ich właściwych kształtów. Na końcu kwiatki i globus, szukające nowej ziemi.

Musiałem tak jak inni zamontować żaluzje, aby mieć czym zasłonić wydrążony widok.

Portfele, otwierające się na dźwięk słowa: konsultant. Głęboko zamrożone produkty przenoszone do mikrofalowych kuchenek, gdzie od razu będą gorące, z pominięciem średnich temperatur. Szyldy, kołyszące się na wietrze, jak flagi. Kasowniki wydające zadowolony pomruk, kiedy włożyć odpowiedni bilet. Ekrany z ciekłych kryształów, spływająca na nie cyfrowa muzyka. Mężczyzna objaśniający drogę brązowemu samochodowi, w lewo, jeszcze raz w lewo i na światłach w prawo. Między zderzakiem a karoserią, w pysku, utkwiła kępa trawy. Blaszane skrzynki pełne niedających się już zatrzymać wyznań i rachunków poszukujących pieniędzy. Drogerie i umalowane w nich piękne sprzedawczynie. Wieczór. Piasek. Śnieg na plaży.

Redakcja: Maria Kaniowa
Korekta: Marta Stochmiałek, Małgorzata Denys
Adiustacja: Filip Modrzejewski

Projekt okładki i stron tytułowych: Jacek Szewczyk
Fotografia na I stronie okładki:
© Mikael Drackner / Moment Open RF / Getty Images
Fotografia autora na IV stronie okładki: © Danuta Węgiel

Skład i łamanie: Tekst – Małgorzata Krzywicka
Druk i oprawa: Edica, Poznań

Książkę wydrukowano na papierze Creamy 70 g/m^2, vol. 2.0,
dostarczonym przez Paperlinx

PaperlinX

Grupa Wydawnicza Foksal Sp. z o.o.
00-372 Warszawa, ul. Foksal 17
tel. 22 828 98 08, 22 894 60 54
biuro@gwfoksal.pl

ISBN 978-83-280-1486-2